COMO CONTROLAR E VENCER A ANSIEDADE?

5 segredos para combater o mal do século

Direção geral: Fábio Gonçalves Vieira
Capa: Renata Santiago Albuquerque
Preparação, diagramação e revisão: AnnaBella Editorial / Thuâny Simões
Imagem: Istock/wildpixel

Este livro segue as regras da Nova Ortografia da Língua Portuguesa.

Editora Canção Nova
Rua João Paulo II, s/n – Alto da Bela Vista
12 630-000 Cachoeira Paulista – SP
Tel.: [55] (12) 3186-2600
E-mail: editora@cancaonova.com
loja.cancaonova.com
Twitter: @editoracn

Todos os direitos reservados.

ISBN: 978-85-5339-053-3

© EDITORA CANÇÃO NOVA, Cachoeira Paulista, SP, Brasil, 2018

PE. ADRIANO ZANDONÁ

COMO CONTROLAR E VENCER A ANSIEDADE?

5 segredos para combater o mal do século

Canção Nova
EDITORA

SUMÁRIO

Combatendo o "mal do século" 7

Compreendendo os mecanismos da ansiedade em nós 24

Realidades que intensificam a ansiedade 43

Uma palavra de respeito: acolhendo a sua dor e respeitando o ponto em que você está 55

Cinco segredos para superar a ansiedade: uma estratégia para combater o "mal do século" 67

Primeiro Segredo: Conheça-se 71

Segundo Segredo: Respeite-se 86

Terceiro Segredo: aja da maneira certa 95

Quarto Segredo: mude o foco 111

Quinto Segredo: estimule a confiança e a fé 127

COMBATENDO O "MAL DO SÉCULO"

Que imensa satisfação poder, a partir deste momento, construir uma interação com você através deste livro, que tem como propósito ser um auxílio para o seu coração em meio às lutas e dificuldades que hoje você enfrenta. Esta obra traz como proposta um assunto muitíssimo relevante, visto que sua temática aborda um problema que tem atingido e prejudicado inúmeras pessoas em nosso tempo.

Cada vez mais, pesquisas e fatos têm constatado que um dos grandes males que tem roubado a qualidade de vida de numerosos seres humanos atualmente é um constante sentimento de ansiedade, que parece ter afetado a todos, atingindo-nos diretamente na execução de nossas tarefas, em nosso sono e descanso, em nossa saúde e em nossos relacionamentos em geral.

Parece que todos nós, em alguma medida, acabamos sendo atingidos por essa "síndrome" da urgência e da pressa, que faz com que estejamos sempre inquietos e agitados diante de algum problema ou atividade. Muitas vezes, até mesmo sem nos darmos conta de o porquê, percebemo-nos excessivamente preocupa-

COMO CONTROLAR E VENCER A ANSIEDADE?

dos com o amanhã, planejando repetidamente cada detalhe e esperando que tudo aconteça – "milimetricamente" – como havíamos planejado. E, quando menos percebemos, estamos profundamente absorvidos por essa onda ansiosa que nos agita e acelera de várias formas.

Inúmeras vezes, também, vemo-nos conduzidos por um incessante desejo de estarmos conectados a tudo o que acontece, participando ativamente de todas as realidades que os outros vivem e, consequentemente, "postando" – de forma obstinada – tudo o que vivemos em cada "minuto", adentrando, assim, em uma contínua necessidade de estarmos sempre ligados – sempre alertas –, não nos permitindo sadiamente descansar ou desligar.

A ansiedade em si, e na medida certa, não é um problema. É notório que existem aspectos muito necessários e positivos em uma ansiedade que está em seu padrão natural, e precisamos reconhecer isso. Se não houvesse ansiedade e medo, por exemplo, talvez não houvesse mais ser humano sobre a face da terra, visto que foi este impulso natural que impediu que nossos ancestrais fossem devorados por predadores ferozes; foi este sentinela interior que os deixou alertas e os fez fugir dos muitos perigos que existiam em sua época.

Essa ansiedade os deixava ligados e atentos nos momentos certos, a fim de que pudessem fugir das ameaças e assegurar a sobrevivência da espécie em um mundo repleto de muitos perigos e riscos. Mas, o que diferencia a natural ansiedade que salvou a pele dos nossos ancestrais desse terrível sentimento que – atualmente – nos agita e não nos deixa dormir na noite anterior a um importante compromisso? Qual é a causa dessa inquietação que nos atinge quando estamos na proximidade de um evento aguardado por nós? Por que, muitas vezes, essa preocupação exagerada com o que ainda não aconteceu nos visita, alterando nossos batimentos cardíacos e o funcionamento de nosso corpo? Como podemos controlar e vencer esse estímulo descompensado e excessivo?

A essas e a algumas outras perguntas procuraremos responder aqui, apresentando ao seu coração alguns possíveis e eficazes caminhos para se equilibrar e superar essa ardilosa realidade. Para isso é imprescindível que você, independente do tamanho da ansiedade por soluções e repostas que exista em seu coração, percorra com fidelidade e constância este itinerário que começa aqui, a fim de melhor compreender quais são os passos necessários para alcançar o êxito diante dessa realidade.

Nosso caminho acontecerá através de um belíssimo processo, que precisará ser experienciado passo a passo. Por isso, determine-se a ler este livro com foco e sem pressa, deixando que o percurso aqui proposto vá, aos poucos, atingindo sua mente, sua alma e suas emoções. Tenha certeza de que os frutos a serem colhidos serão belíssimos e muito promissores, e poderão inseri-lo(a) em um novo – e mais feliz – momento em sua história.

Todavia, antes de traçarmos um caminho em busca de "respostas" a este problema, precisaremos compreender com mais precisão o mecanismo de tal realidade, entendendo melhor como a ansiedade tem se manifestado em nosso tempo. Assim poderemos agir com mais eficácia e conquistar um maior êxito na tarefa de nos equilibrarmos e controlarmos de dentro para fora – o que, sem dúvida, gerará resultados muito favoráveis em todas as áreas de nossa vida.

COMO CONTROLAR E VENCER A ANSIEDADE?

Afirmo, por minha própria experiência e percepção – como sacerdote –, bem como pelas inúmeras estatísticas atuais, que o desequilíbrio da ansiedade tem mesmo adoecido muitíssimas pessoas em nosso tempo, encerrando-as em processos tóxicos de angústia e infelicidade. São incontáveis os corações que tenho encontrado dominados por uma constante ansiedade e inquietação – sobretudo os mais jovens, os quais não têm conseguido se equilibrar nem encontrar uma real quietude e serenidade para seus corações.

Pessoas que não conseguem mais dormir ou relaxar direito, que enfrentam transtornos e enfermidades desencadeados pelo descompasso da ansiedade e que não estão encontrando a devida rota para regressar a um caminho de cura e equilíbrio. Almas que trazem uma enorme carência emocional e uma confusão interior, que se tornaram vítimas da própria indisciplina e instabilidade. Corações perdidos em busca da aprovação dos outros, sujeitando-se a tudo para se sentirem parte do que acontece e para experimentarem, ainda que de maneira imprecisa, alguma espécie de afeto e aceitação.

Aflição, agonia, impaciência, inquietação: esses são alguns dos muitos sinais da ansiedade fora do seu padrão natural, os quais podem gradativamente evoluir para quadros ainda mais autodestrutivos e negativos. A partir das constatações oferecidas por várias pesquisas e por profissionais que trabalham na área da saúde, facilmente se percebe que muitos corações em nosso tempo estão enfrentando depressão, transtornos e muitas outras patologias – até mesmo cometendo o suicídio – pelo fato de não saberem lidar com sua ansiedade excessiva e as inúmeras consequências que ela provoca. E isso é coisa séria...

Estimam-se, segundo pesquisas da Organização Mundial da Saúde (OMS), divulgadas em 23 de fevereiro de 2017, que mais de 264 milhões de pessoas no mundo sofrem transtornos intensos de ansiedade, das quais muitíssimas têm adoecido consideravelmente, chegando a quadros agudos de depressão e desejo de morte impulsionados por tal realidade. E, segundo tais estimativas, o Brasil já é o país com a maior taxa de pessoas com este tipo de transtorno em todo o planeta, sendo que muitíssimos brasileiros já possuem alguma patologia intensa desencadeada pela ansiedade (sem contar os que ainda não têm um concreto transtorno diagnosticado, mas que já sofrem muito em virtude disso), e a depressão já afeta uma parcela muito extensa de nossa população.

A ansiedade tem se manifestado de várias formas, sobretudo através de um agudo estado de medo, apreensão, mal-estar, desconforto, insegurança, estranheza do ambiente ou de si mesmo e, muito frequentemente, pela sensação de que algo desagradável irá acontecer. Ela geralmente acontece por uma excitação excessiva do sistema nervoso central que gera uma aceleração do funcionamento do corpo e da mente, deixando a pessoa em um contínuo estado de alerta. Quando estamos neste estado, liberamos, tecnicamente falando, o neurotransmissor noradrenalina, que provoca em nós um estímulo excessivo que intensifica e exacerba nossas funções físicas e psíquicas.

Quando o estímulo é extremo e a ansiedade sai de seus devidos padrões, tal realidade se volta contra a própria pessoa e prejudica o funcionamento de seu metabolismo, afetando muitas de suas aptidões naturais. Por isso, aprender a bem lidar com essa energia humana é extremamente fundamental, a fim de que conquistemos dias mais harmônicos e saudáveis, administrando melhor todas as áreas de nossa vida.

Quase todos nós já experimentamos picos de ansiedade uma vez ou outra na vida, o que é uma realidade extremamente natural. E, como já afirmamos, existe na ansiedade – experienciada da forma certa — elementos muito positivos: é ela que nos dá energia e força de realização, retirando-nos da letargia e nos tornando mais combativos. Quando, na medida certa, este sentimento nos estimula muito positivamente, fazendo com que nos desenvolvamos através dos desafios, podemos, assim, concretizar todo o nosso potencial.

Diante disso, constatamos que é necessário experimentar certo nível diário de ansiedade, para sermos capazes de alcançar um patamar mais elevado de progresso e realização. Há até uma antiga máxima que diz: "Ansiedade demais torna a vida um caos, mas nenhuma ansiedade nos leva à estagnação e ao comodismo". Este pensamento é extremamente verdadeiro, todavia, o problema, de fato, acontece quando este estímulo se torna excessivo e se transforma na única forma como tudo se realiza em nossa vida, gerando, assim, desequilíbrios de vários matizes em nós.

Para o psicólogo Alexandre Bez[1], especialista em relacionamentos pela Universidade de Miami e em ansiedade e síndrome do pânico pela Universidade da Califórnia, a ansiedade descompensada é o pior de todos os males psicológicos. Segundo o especialista, ela é o gatilho para desencadear muitos outros

---

[1] Pesquisa presente em: https://universa.uol.com.br/noticias/redacao/2011/05/17/ansiedade-e-o-pior-de-todos-os-males-psicologicos-diz--especialista.htm. Acesso em: 06.05.2018.

transtornos psíquicos e emocionais. Quando a ansiedade passa do limite, rouba a sensatez e a paz de nosso coração. Uma pessoa altamente ansiosa perde o equilíbrio e a capacidade de raciocinar, tornando-se alguém constantemente refém do medo e da impulsividade.

O domínio contínuo da ansiedade sobre a mente e as emoções pode desencadear inúmeras enfermidades psicossomáticas que afetam diretamente a saúde e a integridade da pessoa em questão. Gastrite, úlceras, colites, taquicardia, hipertensão, cefaleia e alergias são alguns exemplos de doenças causadas pelo excesso de ansiedade. O psiquiatra italiano Leonard Vereaque[2] afirma que isso geralmente acontece porque a pessoa descompensada nesta realidade não consegue eliminar, de forma natural, a tensão e o excesso de estímulo gerados em si. Segundo o raciocínio deste especialista, o cérebro acaba criando "válvulas" artificiais para dar vazão a essa tensão e energia negativas, e, a partir daí, a pessoa começa a usar o próprio organismo como válvula de descarga, fazendo surgir patologias, transtornos e sintomas multiformes.

Todos nós, em algum momento, iremos sofrer, em maior ou menor grau, em virtude de situações que geram ansiedade em nossa mente e em nosso coração. Isso é inevitável. No entanto, quando não encontramos a devida sabedoria e os recursos certos, este sentimento começa a desordenar nossa rotina, nossos relacionamentos, nossa forma de comer, de descansar etc. Quando isso

---

[2] Pesquisa presente em: https://universa.uol.com.br/noticias/redacao/2011/05/17/ansiedade-e-o-pior-de-todos-os-males-psicologicos-diz-especialista.htm. Acesso em: 06.05.17.

acontece, o problema precisa ser encarado com um pouco mais de atenção e com uma estratégia mais inteligente e elaborada. No momento em que a ansiedade ultrapassa o limite e a pessoa não consegue mais realizar com inteireza suas tarefas diárias, é hora de começar a enfrentar o problema de forma mais ampla, atenta e honesta.

A ansiedade pode ser tanto um processo hereditário[3] como uma realidade adquirida através das experiências e circunstâncias difíceis da vida. Quando ela é realidade desencadeada por algum fator genético, por exemplo, será necessário um acompanhamento mais próximo por parte de profissionais qualificados para isso, e, em muitos casos, será preciso uma intervenção com medicamentos que ajudem a pessoa a reencontrar o necessário equilíbrio.

Não obstante as causas genéticas que possam ocorrer, é fato que na grande maioria das vezes a ansiedade estará intimamente vinculada à forma como interpretamos as situações que nos acontecem[4] e ao estilo de vida que levamos, tendo sua concreta raiz na maneira como administramos nossa existência e seus desafios. Precisamente aqui, na reflexão sobre o estilo de vida que levamos e sobre a forma como lidamos com as nossas tensões cotidianas, o caminho que proporei neste livro encontrará um lugar privilegiado, apresentando ferramentas simples e eficientes para afrontarmos tal realidade.

[3] Fato que abordaremos posteriormente.

[4] Afirmação de Sâmia Aguiar Brandão Simurro, psicóloga e vice-presidente de Projetos e Expansão da Associação Brasileira de Qualidade de Vida (ABQV). Veja mais em https://universa.uol.com.br/noticias/redacao/2011/05/17/ansiedade-e-o-pior-de-todos-os-males-psicologicos-diz-especialista.htm?-cmpid=copiaecola.

É claro que toda cura e transformação, como já afirmei, é um processo que exige constância e dedicação: não é um acontecimento mágico nem instantâneo. Por isso, mais uma vez, incentivo você a, deixando de lado toda a ansiedade e todo o desejo de resultados imediatos, percorrer – com foco e paciência – todo o caminho que aqui desvelaremos. Do contrário, tal trajeto poderá ser ineficaz na tarefa de conduzir o seu coração aos resultados – e ao patamar de realização – que você espera e merece.

Por mais que você hoje esteja sofrendo em virtude da ansiedade, por mais que reconheça que não consegue controlá-la adequadamente e que, por isso, várias áreas de sua vida já estão sendo afetadas, saiba que haverá sempre uma forma de regressar vivendo um real caminho de cura e transformação, para assim administrar melhor e com mais qualidade a própria vida. Haverá sempre uma maneira mais inteligente de viver e protagonizar as próprias escolhas, produzindo resultados mais felizes para o hoje e, sobretudo, para o amanhã.

Não se conforme em viver uma vida infeliz ou sem qualidade. Não ache normal perder sua saúde, seu sono e não desenvolver todo o potencial que você recebeu de Deus e da vida: você pode começar a superar suas dificuldades hoje e a construir uma vida mais feliz. Isso é possível, e você agora está sendo objetivamente convidado a isso!

Como diziam os antigos gregos: "Mudar é difícil, mas acomodar-se é perecer (...)". Não se acomode em estados negativos e autodestrutivos e se decida agora a assumir sua história em suas mãos, conduzindo-a a um destino mais satisfatório. Não se conforme em viver de qualquer jeito: você pode ir mais longe, pode desenvolver novos talentos e descobrir todo um desconhecido potencial adormecido em seu ser. Levante-se hoje de qualquer prostração – emocional, psíquica e espiritual – e trilhe decididamente este caminho de reconquista de si mesmo e de superação da ansiedade.

É claro que em muitos momentos você precisará cultivar uma sincera paciência para consigo e o seu processo pessoal, respeitando o ciclo natural, através do qual você é capaz de absorver e superar as realidades. Todavia, não se acomode na angústia e nos problemas de hoje, sabendo que você pode sempre melhorar e progredir: reconheça suas dificuldades atuais (talvez os desequilíbrios que até já o(a) atingiram e roubaram muita coisa de você), mas não estacione nelas. Lute decididamente para se superar, vencendo as causas e situações que o afligem e roubam a quietude e a estabilidade de seu coração.

Concluo este capítulo dividindo com você uma bela história de superação que tive o prazer de testemunhar. Ela versa sobre os enredos presentes na história de uma jovem mulher que tive a oportunidade de acompanhar. Ela, na ocasião, tinha 38 anos e se mostrava muito inteligente, preparada e capaz. Essa moça possuía uma extensa formação acadêmica na área de marketing, tendo diplomas de respeitadas instituições internacionais.

Ela havia, por vários anos, morado em outro país, estudando e conquistando um currículo muitíssimo bem avaliado, e, por causa disso, poucos anos após entrar no mercado de trabalho, havia conquistado um cargo executivo em uma empresa multinacional.

Nossa protagonista viajou por vários lugares do mundo a trabalho, em nome da empresa, e recebia uma ótima remunera-

ção pela distinta função que ocupava. Todavia, após alguns anos exigentes de trabalho e de uma rotina estressante, ela entrou em um quadro atroz de ansiedade, enfrentando vários transtornos decorrentes dela.

Foi precisamente neste momento que a conheci. Ela procurou-me justamente no auge de suas crises, diante das quais procurei ajudá-la e orientá-la. Sua pele desenvolveu uma séria alergia que lhe gerou uma intensa e ininterrupta coceira no corpo. Essa jovem começou a perder muito peso, e seu cabelo começou a cair gradativamente e em grandes quantidades, tudo em virtude das crises de ansiedade que em sua vida tinham tomado lugar.

Ela estava sofrendo muito, pois era jovem e – naturalmente – vaidosa, e sua enfermidade começara a afetar muito a sua aparência e o seu corpo. Em virtude de algumas crises ansiosas, ela começou a ter inúmeros momentos de esquecimento (pequenas amnésias), e isso começou a também prejudicá-la significativamente na realização de seu trabalho.

Quando passei a ouvi-la e acompanhá-la, percebi que ela se queixava muito de seu ritmo de vida, de seu trabalho e das coisas que lhe eram impostas. Seu coração também expressava uma constante aflição com relação ao futuro, e tudo isso se equacionava dentro dela, causando ainda mais peso e agitação. Sua mente não encontrava recursos para bem lidar com tudo isso, que acontecia ao mesmo tempo em seu interior, e tais sofrimentos começaram a pesar muito sobre seu corpo e suas emoções.

Após um período mais intenso de acompanhamento, durante o qual pude conhecê-la melhor, percebi que, apesar de todas as suas conquistas e títulos, essa jovem trazia um intenso vazio e um sério problema de autoestima em seu coração. Ela trazia um forte sentimento de rejeição e desafeto e, por um medo inconsciente de ser rejeitada, tinha uma enorme dificuldade de dizer não às pessoas. Essa honrada mulher tinha uma profunda necessidade emocional de se sentir aceita e valorizada, e quando isso não acontecia, uma verdadeira "bomba emocional" estourava em seu coração, gerando picos intensos de dor e ansiedade. Em virtude de tal mecanismo, ela tornou-se refém, fazendo qualquer coisa – consciente ou inconscientemente – para se sentir aprovada e acolhida por outros corações.

Tudo isso era fruto de uma história muito difícil experienciada com seu pai, que a abandonou – junto com a sua mãe – quando ela ainda era criança. Na ocasião, mesmo sendo uma criança, ela precisou assumir uma postura de alguém forte e autossuficiente para poder sobreviver – usando uma máscara –, mas em seu interior persistia um grande vazio e um forte sentimento de rejeição, uma vez que ela era muito ligada ao pai e ele simplesmente foi embora e nunca mais voltou, não lhe demonstrando qualquer apreço ou afeto.

Ela não havia se sentido amada e aceitada por seu genitor, e, em virtude dessa carência, nossa protagonista não sabia "se impor" nem considerar seus limites, deixando que as pessoas a desrespeitassem e não valorizassem o que ela tinha a oferecer. Tudo isso acontecia em virtude de uma enorme insegurança e um desejo de sempre agradar, os quais sempre persistiam em seu peito e a faziam sujeitar-se a inúmeros dissabores para se sentir aceita e não contrariar ninguém.

Seu gerente na empresa, alguém mais velho e com alto cargo de liderança, percebendo essa sua fraqueza, passou a se aproveitar de tal realidade e cada vez mais lhe impunha responsabilidades e atribuições. Chegou ao ponto de ela estar realizando a função de três pessoas na empresa simultaneamente, sem nunca conseguir dizer não aos pedidos do chefe, pois ela – querendo em tudo agradar-lhe – não conseguia reagir à forma como ele a abordava e intimidava. Ela simplesmente não conseguia dizer não, e isso começou a adoecê-la gradativamente.

Veja bem: o problema não era tanto o seu trabalho em si, mas a forma como ela se interpretava diante dos outros e o estilo de vida que ela levava. Essa forma de viver e se perceber era suicida, visto que não saber dizer não quando necessário é uma forma concreta de se prejudicar e destruir a própria integridade e saúde.

Essa competentíssima mulher tinha entrado em um concreto estado de esgotamento e ansiedade, pelo fato de ter se incumbido de trabalho e "pesos" muito além de suas possibilidades: ela assumiu coisas demais. Sem perceber, ela apropriou-se de tarefas que não precisava necessariamente realizar; atribuições que deveriam ser feitas pelo seu chefe ou por outras pessoas. Mas ela não soube colocar limites na forma como os outros lhe solicitavam, e por isso o seu estilo de vida e a sua imaturidade emocional a adoeceram.

É claro que suas feridas e carências emocionais já a haviam feito, naturalmente, um tanto ansiosa. No entanto, esse quadro de esgotamento acentuou profundamente sua ansiedade, e sua mente não conseguia mais se desconectar ou relaxar, mesmo quando ela estava dormindo. Com isso, seu sono foi também muito afetado.

Diante deste contexto, para superar todas essas realidades, essa distinta mulher precisou transformar as coisas dentro de si,

COMO CONTROLAR E VENCER A ANSIEDADE?

entendendo o mecanismo de sua ansiedade, que foi extremamente acentuado por um acúmulo irrefletido de tarefas e por um desejo infindável de a todos "agradar" – gerado por uma profunda carência. Ela precisou se compreender e mudar, na raiz, os comportamentos que a tornavam refém desses muitos gatilhos ansiosos. Seu coração precisou reconhecer e aceitar sua grande carência e seu desejo desequilibrado de aprovação, iniciando um trabalho intenso de se educar e se transformar nessas específicas realidades.

Comecei a orientá-la a partir de pequenas coisas em seu cotidiano, estimulando-a a se posicionar e a dizer não frente às tarefas e aos pedidos que excediam suas possibilidades. No início foi tudo muito difícil para ela, pois seu coração havia se "viciado" a em tudo buscar corresponder ao que esperavam os demais, sempre evitando todo confronto e conflito. Todavia, sua alma foi gradativamente compreendendo que existem confrontos que são saudáveis e até necessários, os quais sempre precisaremos enfrentar sem fugir.

Aos poucos, seu coração foi conseguindo se expressar e se valorizar, e ela foi deixando algumas tarefas que não lhe competiam. Após alguns meses de direção espiritual, muita oração e de uma mudança concreta de alguns hábitos, nossa protagonista se libertou das garras da ansiedade desequilibrada e de seus atrozes sintomas, passando a viver uma vida mais harmônica e feliz.

Ela começou a concretizar uma rotina mais saudável: com um pouco mais de descanso, com atividade física e com dedicação a algumas outras áreas de sua vida – não só ao trabalho –, e tudo isso a ajudou muito na atitude de se encontrar como pessoa e superar sua terrível ansiedade. Ela também precisou viver um processo de uma maior confiança e entrega a Deus, conseguindo, assim, melhor equilibrar suas expectativas e apreensões com relação ao futuro.

Foi um verdadeiro processo de cura e transformação que exigiu empenho de sua mente e de seu coração: cada "não" que ela dava para algo que não era capaz de realizar era um "sim" que seu coração sabiamente se oferecia. Tais "náos" doíam mais nela do que nas pessoas, pois ela não tinha sido formada para agir assim. Todavia, sua percepção se modificou e ela compreendeu que precisava mudar seu estilo de vida e a forma como interpretava seus relacionamentos, alterando na raiz os comportamentos que a encarceravam em processos de ansiedade.

No auge de suas crises, ela precisou tomar medicamentos – antiansiolíticos – por algum tempo, e isso também a ajudou muito. Ela fez um tempo de terapia com uma psicóloga muito capaz, o que também contribuiu grandemente com o seu caminho de superação. No entanto, seu coração percebeu que não adiantaria apenas tomar os remédios, se ela não mudasse a forma como enfrentava as coisas em sua vida: ela compreendeu que era necessário mudar na raiz as atitudes que a levavam ao cárcere da ansiedade.

Ela foi honesta o bastante para se perceber e para buscar a devida ajuda, para, aos poucos, modificar o que precisava ser mudado em sua forma de ser e agir. Em virtude dessas pequenas e significativas mudanças e, sobretudo, como consequência de sua coragem de se confrontar e transformar o próprio comportamento, nossa protagonista colheu frutos maravilhosos em sua vida – e colhe até hoje – e pôde vencer as muitas dificuldades e angústias nela geradas pela ansiedade.

COMO CONTROLAR E VENCER A ANSIEDADE?

Na minha e na sua vida também é assim: para vencermos a ansiedade e suas consequências, precisaremos realmente nos posicionar diante do que a está gerando em nós, modificando este tipo de comportamento e percepção. Como já afirmei, na grande maioria das vezes, a ansiedade está ligada à forma como interpretamos as coisas em nossa vida e à maneira como nos relacionamos com as pessoas e as circunstâncias. Por isso será frontalmente necessário enfrentarmos nossas discrepâncias e indisciplina, procurando corrigir e transmutar em nossa história aquilo que não tem correspondido para o nosso verdadeiro bem.

Agindo assim, com certeza, colocaremos muita coisa no lugar, dentro e fora de nós, e seremos capazes de superar muitas de nossas dificuldades, alcançando resultados surpreendentes em muitas áreas de nossa vida.

Trilhemos, pois, com confiança, este trajeto de autotransformação, a fim de superarmos a ansiedade e reorganizarmos nosso mundo a partir do que realmente nos é mais apropriado. Assim poderemos nos libertar de excessos e pesos desnecessários, podendo acrescentar o que realmente precisa estar em nossos dias.

Encerro este capítulo convidando-o(a) a fazer comigo esta simples oração, que nos ajudará a reconhecer que precisamos da ajuda de Deus e das pessoas que nos amam, para mudar em nossa vida e rotina aquilo que precisa ser verdadeiramente transformado.

Reze atentamente comigo.

PE. ADRIANO ZANDONÁ

Oração

Querido Deus, quero hoje pedir Tua ajuda para superar e vencer as realidades que em mim geram a ansiedade. O Senhor me conhece e sabe quais são as verdadeiras causas de meus desequilíbrios e desarmonias. Sabe o que está descompensado dentro de mim e quais são as reais causas de minhas agitações. Quero, agora, Te entregar toda a minha história, e peço Tua ajuda para poder me compreender e superar os desajustes que me fazem sofrer. Entrego-Te todos os meus medos e inseguranças, Senhor. Entrego-Te minhas preocupações em relação ao futuro e tudo aquilo que hoje rouba a minha paz.
Preenche agora todos os vazios de minha história com Teu amor. Entrego-Te todas as minhas expectativas e frustrações e peço que o Senhor me cure em todo o vazio de afeto que vivi. Enche-me com Teu amor e faz-me compreender o meu imenso valor diante de Ti. Faz-me perceber onde estão as causas profundas de minha ansiedade, e dá-me forças para mudar tais realidades, Senhor.
Liberta-me de toda indisciplina e maus hábitos, e dá-me sabedoria e sensatez para administrar meu tempo e meus relacionamentos.
Cura minhas lembranças dolorosas e sara hoje, com Tua presença, todo desejo desequilibrado de afeto e aceitação. Sei que não estou sozinho para enfrentar minhas angústias e dificuldades: o Senhor é maior que tudo, e não há nada que supere o Teu poder.
Ajuda-me a enfrentar e a vencer toda ansiedade, Senhor. Confio em Ti e conto com o auxílio de Teu amor. Amém.

COMPREENDENDO OS MECANISMOS DA ANSIEDADE EM NÓS

PODEMOS NOS TORNAR VÍTIMAS da ansiedade por diversos motivos. Um acontecimento dramático, um acúmulo de tarefas e obrigações, o nervosismo antes de um momento importante, uma preocupação excessiva com o futuro ou uma formidável imaginação que nos faz ver além da realidade são capazes de gerar os sintomas da ansiedade. Todavia, um dos principais propulsores da ansiedade em nosso tempo chama-se imediatismo, ou seja: aquele desejo impulsivo e imaturo de obter resultados instantâneos em tudo, sem viver o processo natural exigido a cada coisa.

O imediatismo parece ser um vírus que atingiu a todos em nossa sociedade. Desde os mais jovens até os mais maduros, parece que todos – direta ou indiretamente – acabaram cedendo diante dessa lógica imatura e, por isso, encontram-se, muitas vezes, agitados e insatisfeitos diante da vida.

COMO CONTROLAR E VENCER A ANSIEDADE?

O imediatismo causa um estrago muito grande, pois nos leva a descartar coisas e pessoas que não nos fornecem um resultado instantâneo diante daquilo que esperamos. Vemos essa mentalidade presente em inúmeras áreas da vida dos seres humanos de nosso tempo. Por exemplo, é comum encontrarmos indivíduos que começam sua vida profissional querendo já estar no topo... Já querem começar ocupando cargos de chefia e com salários altíssimos, e assim não entendem que precisam passar pelo processo natural de crescimento profissional, que é composto por etapas – que levam algum tempo. Com isso, esquecem-se de que, para tornar-se grande e estável, todo processo humano de crescimento precisa antes passar pelos "altos e baixos" que fornecerão uma aprendizagem mais ampla, acrescentando uma maior sabedoria e eficácia naquilo que eles próprios realizam.

Há inúmeros(as) que entram em um relacionamento (namoro ou casamento, por exemplo) já querendo resultados imediatos: querendo que o outro já esteja totalmente pronto e desejando já ter a experiência e a consistência de casais que estão há mais de 20 anos juntos. Na prática, isso não funciona mesmo, pois o relacionamento só irá crescer e amadurecer a partir do tempo e através das experiências e dificuldades enfrentadas e superadas juntos.

Talvez seu marido (ou esposa) não esteja "pronto" e ainda deixe muito a desejar. Mas é preciso ter a paciência e a disposição para o(a) ir construindo gradativamente, solidificando a relação e permitindo que ele(a) cresça e amadureça natural e paulatinamente. Não existe relacionamento que já esteja pronto desde o início: todo relacionamento é uma construção que exige diálogo sincero, disposição para realmente compreender o outro, interação, recomeços, iniciativas de afeto e muita paciência. Querer um relacionamento pronto e uma pessoa que corresponda a tudo que você espera é inverdade e ilusão, e na prática não funciona.

Na verdade, as pessoas nunca serão tudo aquilo que delas esperamos. Contudo, mesmo diante desse natural desencontro gerado pelas divergências próprias a cada um(a), será possível viver um relacionamento feliz, isso se soubermos compreender e respeitar as diferenças, crescendo – a partir do tempo – em verdade e cumplicidade. Será preciso respeitar o tempo de cada realidade, sabendo estimular as pessoas para o amadurecimento e a transformação, dando – ao mesmo tempo – a oportunidade de elas assimilarem as coisas e assim progredirem por si mesmas.

Há ainda, por exemplo, quem começa a treinar na academia, exercitando-se por um mês, e já busca obter resultados mágicos e imediatos. Todos sabemos que isso não funciona. Será preciso empenho, perseverança, uma mudança no padrão de alimentação etc., para que aí os resultados comecem a aparecer depois de algum tempo.

Passando agora para um outro contexto, quando observamos a forma como muitas pessoas atualmente vivem e interpretam sua fé, percebemos essa mentalidade imediatista agindo com ainda mais intensidade nos enredos de tal realidade. Os cultos/missas que mais crescem são aqueles que mais oferecem resultados instantâneos e supostamente mágicos, sem exigir qualquer esforço, resolvendo todos os problemas das pessoas em questão. Os seres humanos contemporâneos querem em tudo uma cura e uma libertação imediata que não exijam muito tempo nem

COMO CONTROLAR E VENCER A ANSIEDADE?

empenho e que venham de um deus poderoso que é sempre obrigado a fazer o que tais pessoas desejam com rapidez e precisão.

Muitos exigem – consciente ou inconscientemente – que Deus aja como se fosse um curandeiro milagroso, que lhes dá muito sucesso e realizações materiais. Querem uma fé que lhes dê prosperidade e muito dinheiro e que lhes resolva todos os problemas de forma imediata. Contudo, na vida de fé – uma fé genuína –, as coisas não funcionam assim. As realidades mais profundas que Deus quer nos dar e fazer em nós acontecem no processo, através de um relacionamento que cultivamos com Ele e através dos passos que vamos dando na arte de – constantemente – ouvi-Lo, segui-Lo e obedecer-Lhe.

Infelizmente, nosso tempo foi realmente atingido pelo vírus da instantaneidade, e isso tem prejudicado e infantilizado demais as pessoas. É comum encontrarmos pessoas que estão vivendo a depressão e/ou transtornos gerados pela ansiedade e que se agitam profundamente por não conseguirem subitamente vencer tais realidades, sem entender que superar este tipo de problema também é um processo e exigirá tempo, dedicação, observação e oração.

Uma pessoa não entra em depressão ou em um transtorno de ansiedade da noite para o dia. Essas realidades vão acontecendo aos poucos e se instalam gradativamente dentro de nós: são maus hábitos repetidos, frustrações não superadas e integradas, tristezas não digeridas, indisciplina, excesso de pesos desnecessários, desequilíbrios internalizados etc. *Adentrar em tais realidades é um processo, e, logicamente, sair também o será.*

Para vencer um transtorno gerado pela ansiedade, você precisará, primeiramente, tentar compreender melhor o seu próprio estilo de vida e as possíveis circunstâncias que estejam inquietando você. Será preciso perguntar a si mesmo, tendo uma sincera disposição para se ouvir e começar a entender o real mecanismo de tais transtornos em si[5].

Após termos consciência de como temos vivido e de como as contrariedades da vida nos têm atingido, será preciso buscar ajuda para claramente compreender qual será o antídoto para enfrentar tal fragilidade: o que precisaremos fazer e quais atitudes precisaremos incorporar ao nosso comportamento para superarmos esses desajustes que nos fragilizaram.

Tudo isso leva tempo e exige calma, continuidade e oração de cada um de nós. Para enfrentar e vencer um quadro intenso de depressão e/ou ansiedade, por exemplo, será preciso intensa perseverança e disposição interior. Será necessário serenidade e continuidade para viver o processo da autopercepção e da transformação comportamental, atingindo as raízes do que realmente nos faz sofrer, para assim atingir o que verdadeiramente precisa ser modificado dentro de nós.

Estamos, de fato, na sociedade do instantâneo e do descartável. No entanto, quando se trata de seres humanos, as realidades funcionam sob outro compasso. Maturidade, libertação, cura e felicidade não acontecem de forma instantânea e mágica, e não poderemos descartar nós mesmos ou os outros quando os resultados positivos não acontecerem de forma imediata.

Cada pessoa precisa ser aceita e interpretada em sua individualidade e precisa ser compreendida com amor. Cada pessoa tem o seu ritmo e o seu processo natural de aprendizagem e

---

[5] Desenvolverei amplamente tal realidade no capítulo 6.

crescimento. Como propunha Piaget, cada ser humano precisa ser estimulado para aprender e crescer (em todas as áreas de sua vida), mas, sobretudo, precisa ser compreendido como único e irrepetível: possuidor de uma individualidade e de uma forma de aprender únicas.

Para superar os processos acentuados pela ansiedade, será extremamente necessário cultivar as virtudes da perseverança e da continuidade, as quais muito nos ajudarão neste nosso processo de cura e crescimento.

A paciência é uma virtude, não um defeito. E assim precisará ser compreendida e vivenciada. Ela é um atributo no qual seu coração precisará se pautar para construir uma compreensão mais acertada acerca de si mesmo(a). Contudo, esta não pode ser uma paciência acomodada, mas ativa, que luta, faz a sua parte e procura sempre progredir, mas que, todavia, sabe compreender o processo das coisas, deixando as realidades acontecerem naturalmente.

Você, da mesma forma, possui o seu tempo e o seu processo natural para vivenciar todas as realidades, os quais são lindos e únicos. Não se compare com os outros nem desanime quando os resultados não vierem instantaneamente; tenha calma e compare-se apenas com você mesmo, olhando para trás e percebendo o quanto você já venceu e superou em seu percurso pela vida.

Tenha paciência e prossiga o seu caminho com confiança, tendo a certeza de que no caminho, e a partir dos passos dados, os resultados virão. Enfrente sua ansiedade com paciência, cultivando a compreensão de que a cura já está acontecendo apenas pelo fato de você caminhar na sua direção, mesmo que você ainda não consiga ver e perceber isso.

Após essa breve reflexão sobre a importância da paciência para enfrentar a ansiedade, apresentarei agora algumas das formas mais comuns através das quais esse sentimento – quando descompensado – pode se manifestar em nós. É claro que isso não esgota as muitas manifestações de tal circunstância, mas nos oferece uma percepção mais ampla dos principais transtornos que estão atingindo as pessoas em nosso tempo, em virtude do desequilíbrio da ansiedade.

Segundo a psiquiatra Maria Fernanda Caliani[6], os transtornos mais comuns associados à ansiedade são: transtorno de ansiedade generalizada (TAG), transtorno obsessivo compulsivo (TOC), transtorno de estresse pós-traumático, transtorno de pânico, entre algumas outras formas de fobias específicas. Confesso que minha intenção aqui não é me aprofundar nessas enfermidades e em suas muitas possíveis manifestações, até mesmo porque não sou médico e minha abordagem se pautará em um contexto mais existencial, propondo ao seu coração algumas posturas e atitudes inteligentes que o ajudem, a partir da dinâmica da fé e de uma organização mais sábia de sua vida, a enfrentar e vencer este terrível gatilho ansioso que atualmente tem roubado muita coisa positiva de nossas histórias.

Enfim, podem ser inúmeras as manifestações do excesso de ansiedade, e elas podem variar em cada caso específico. Tais quadros geralmente possuem raízes multifatoriais que são intensificadas por uma combinação de várias circunstâncias e experiências, tais como: o próprio temperamento, as perdas e

---

[6] Indico para um maior aprofundamento: https://www.youtube.com/watch?v=WryAfIPSb-0. Acesso em: 12.05.18.

COMO CONTROLAR E VENCER A ANSIEDADE?

dificuldades enfrentadas, as tensões cotidianas, o ambiente, a herança familiar etc.

A pessoa que sofre de algum transtorno específico precisará buscar ajuda (sobretudo com profissionais especializados) para poder bem compreender tal realidade e quais são os melhores recursos para enfrentá-la. Sei que muitas pessoas não possuem condições de pagar uma consulta com um bom psiquiatra ou outro profissional da área, a fim de poder traçar um diagnóstico mais preciso do tipo de transtorno que está enfrentando. Todavia, existem hoje em dia – graças a Deus – muitos bons médicos e especialistas que estão fazendo um belíssimo trabalho pela internet – especificamente no Youtube[7], apresentando dicas e abordagens profissionais gratuitamente e auxiliando as pessoas que não têm condições de arcar com este serviço.

Os transtornos são, de forma geral, manifestações mais intensas do processo de desequilíbrio da ansiedade, os quais exigem um pouco mais de tempo e de recursos para serem bem enfrentados. Mas, mesmo exigindo um pouco mais de atenção, eles são totalmente passíveis de serem controlados e/ou curados. A pessoa que os enfrenta precisará se empenhar em observar de forma mais cuidadosa os fatos de sua própria história, criação, cultura, vida emocional e contexto atual, para assim poder desenvolver maneiras mais acertadas para combater tal desajuste.

Muitas vezes será difícil realizar essa autoanálise sozinho(a), tornando-se extremamente necessária a ajuda de outras pessoas

---

[7] Indico a psiquiatra Maria Fernanda Caliani, que tem realizado um belíssimo trabalho no Youtube. Endereço de seu canal: https://www.youtube.com/channel/UCPSF_i4TthY5-7XMnLjh2jQ. Acesso em: 31.05.2018.

que possam nos "enxergar de fora", com verdade e sensatez, ajudando-nos a nos perceber nos desajustes presentes em nós, o que será essencial para encontrarmos as formas eficazes para superá-los. Caberá sempre a nós uma sincera abertura e disposição para ouvir as pessoas, sobretudo aquelas que estão mais perto de nós, pois elas nos conhecem bem e poderão muito nos ajudar na percepção dos descompassos que ainda não identificamos em nosso processo.

Gostaria, também, de aqui salientar que, não obstante essas manifestações mais agudas e intensas da ansiedade (tais como os transtornos), existe também uma forma mais comum e ordinária de ansiedade que pode muito nos prejudicar e afligir. Ela não chega a ser um transtorno ou uma patologia concreta, mas nos afeta diretamente, em virtude de nos deixar sempre agitados, medrosos e/ou preocupados diante do que estamos vivendo ou do que achamos que irá acontecer. Essa ansiedade de "cada dia" é também demasiadamente sórdida e rouba, em muito, a nossa qualidade de vida.

Ficamos tão agitados e apreensivos diante daquilo que esperamos acontecer que, quando isso realmente acontece, não conseguimos sequer bem aproveitar tal realidade, tudo em virtude de termos ficado profundamente inquietos e previamente acelerados. Vivemos um prévio desgaste psíquico e emocional tão intenso, em virtude da ansiedade, que, quando estamos realmente vivendo o que esperávamos há tanto tempo, não conseguimos sequer curtir ou saborear isso no momento presente.

Essa é uma ansiedade silenciosa, porém gradativa, que vai aos poucos roubando nossa sensatez e nosso equilíbrio na vida. Essa ansiedade ordinária vai nos consumindo pouco a pouco e roubando nossas energias. Contra ela precisaremos nos posicionar, descobrindo recursos que nos ajudem a não sucumbir nem perder a paz diante de seus inúmeros apelos psíquicos e emocionais.

Diante de tudo o que foi apresentado até aqui, gostaria de convidá-lo à seguinte reflexão. Você já parou para honestamente se perguntar: Eu sou uma pessoa ansiosa? Em uma escala de 0 a 10, qual é o meu nível de ansiedade? Como tenho lidado com as tensões e a ansiedade de cada dia? Quais são as principais fontes de inquietação hoje em minha vida e como eu tenho lidado com isso?

É de extrema importância esses questionamentos serem apresentados ao seu próprio coração, e será ainda mais salutar você escutar – com honestidade – o que ele lhe diz. Essas respostas serão muito valiosas e auxiliarão você a se administrar melhor, compreendendo a forma como a ansiedade acontece e se manifesta em sua mente e em suas emoções.

Todos sofreremos – sem exceções – com essa realidade, e alguns bem mais do que outros. Contudo, é necessário que você e eu saibamos responder: nossa ansiedade está dentro dos limites normais ou já atingiu um ponto onde é preciso reagir, para o bem de nossa própria saúde?

Aprender a bem lidar com as nossas emoções e nossos níveis de ansiedade tornou-se extremamente necessário em nosso tempo, a fim de que não sejamos negativamente afetados em nosso organismo e nas demais áreas de nossa existência. Este é um tipo de cuidado que sempre deverá perpassar o imaginário do ser humano do século XXI, pois aprender a bem administrar as tensões e ansiedades tornou-se uma questão vital para a sua própria realização e sobrevivência.

Com o propósito de ajudar você a melhor avaliar esses contextos em sua vida, apresentarei agora um teste específico para aferir o nível de sua ansiedade. Ele é muito simples e, ao mesmo tempo, ilustrativo. Sua aplicabilidade não é científica, mas o ajudará a medir algumas das principais escalas que conformam a ansiedade, as quais devemos considerar, ou seja: os sintomas físicos, cognitivos e comportamentais.

É certo que existirão tempos nos quais nossa ansiedade estará mais acentuada devido aos fatores pessoais que estaremos enfrentando, mas, independente de nosso enredo existencial, precisaremos prestar atenção, buscando a forma mais eficaz de nos posicionarmos e administrarmos tal realidade. Uma pontuação elevada no teste aqui proposto indicará um sinal de alerta, assim como a necessidade de fazer pequenas mudanças, estabelecendo prioridades e cuidando melhor de si mesmo(a).

É importante realizar o teste com muita honestidade e atenção, para que ele realmente possa auxiliá-lo(a) a se conhecer e a se ajudar de forma mais salutar e elaborada. Preste atenção nos números empregados em cada tópico, pois eles serão somados ao final, levando-o(a) a uma compreensão mais ampla de como a ansiedade tem afetado você em sua realidade atual.

Pois bem, iniciemos nosso teste[8].

1. Escala de sintomas cognitivos

---

[8] Este teste foi elaborado a partir de meu contato com o teste presente em: https://melhorcomsaude.com.br/teste-para-comprovar-seu-nivel-de-ansiedade/. Acesso em: 13.05.18.

COMO CONTROLAR E VENCER A ANSIEDADE?

a) Não consigo me concentrar com facilidade.
– Nunca (0 pontos)
– Poucas vezes (2 pontos)
– Frequentemente (3 pontos)
– Sempre (4 pontos)

b) Costumo olhar sempre o lado ruim das coisas e, inclusive, antecipo coisas negativas em relação às positivas.
– Nunca (0 pontos)
– Poucas vezes (2 pontos)
– Frequentemente (3 pontos)
– Sempre (4 pontos)

c) Costumo ter falhas de memória.
– Nunca (0 pontos)
– Poucas vezes (2 pontos)
– Frequentemente (3 pontos)
– Sempre (4 pontos)

d) Costumo ter pensamentos negativos.
– Nunca (0 pontos)
– Poucas vezes (2 pontos)
– Frequentemente (3 pontos)
– Sempre (4 pontos)

e) Tomar decisões é difícil para mim, sempre enrolo para fazer as coisas.
– Nunca (0 pontos)
– Poucas vezes (2 pontos)

– Frequentemente (3 pontos)
– Sempre (4 pontos)

2. Escala de sintomas comportamentais

a) Costumo comer para melhorar minha ansiedade ("descontar" na comida).
– Nunca (0 pontos)
– Poucas vezes (2 pontos)
– Frequentemente (3 pontos)
– Sempre (4 pontos)

b) Costumo evitar muitas situações ao invés de enfrentá-las.
– Nunca (0 pontos)
– Poucas vezes (2 pontos)
– Frequentemente (3 pontos)
– Sempre (4 pontos)

c) Tenho alguns tiques nervosos: mexo muito as pernas e no meu cabelo, roo as unhas etc.
– Nunca (0 pontos)
– Poucas vezes (2 pontos)
– Frequentemente (3 pontos)
– Sempre (4 pontos)

d) As coisas caem das minhas mãos.
– Nunca (0 pontos)
– Poucas vezes (2 pontos)

COMO CONTROLAR E VENCER A ANSIEDADE?

– Frequentemente (3 pontos)
– Sempre (4 pontos)

e) É muito difícil dormir à noite (tenho dificuldade de me desligar para dormir).
– Nunca (0 pontos)
– Poucas vezes (2 pontos)
– Frequentemente (3 pontos)
– Sempre (4 pontos)

f) Costumo chorar e me agitar intensamente.
– Nunca (0 pontos)
– Poucas vezes (2 pontos)
– Frequentemente (3 pontos)
– Sempre (4 pontos)

3. Escala de sintomas físicos

a) Costumo ter sensações de angústia ou apreensão.
– Nunca (0 pontos)
– Poucas vezes (2 pontos)
– Frequentemente (3 pontos)
– Sempre (4 pontos)

b) Consigo perceber que estou inquieto(a) ou nervoso(a).
– Nunca (0 pontos)
– Poucas vezes (2 pontos)
– Frequentemente (3 pontos)
– Sempre (4 pontos)

c) **Percebo episódios de taquicardia (aceleração dos batimentos cardíacos).**
– Nunca (0 pontos)
– Poucas vezes (2 pontos)
– Frequentemente (3 pontos)
– Sempre (4 pontos)

d) **Chego ao fim do dia muito cansado(a) (às vezes até me pergunto se conseguirei levantar no dia seguinte).**
– Nunca (0 pontos)
– Poucas vezes (2 pontos)
– Frequentemente (3 pontos)
– Sempre (4 pontos)

e) **Tenho muitos problemas para dormir, durmo mal e, no dia seguinte, acabo cochilando sem perceber.**
– Nunca (0 pontos)
– Poucas vezes (2 pontos)
– Frequentemente (3 pontos)
– Sempre (4 pontos)

f) **Quase todos os dias sinto dor de cabeça, no pescoço ou nas costas.**
– Nunca (0 pontos)
– Poucas vezes (2 pontos)
– Frequentemente (3 pontos)
– Sempre (4 pontos)

COMO CONTROLAR E VENCER A ANSIEDADE?

Somemos agora os pontos presentes em cada um dos 3 tópicos e façamos a interpretação do teste de ansiedade. Segue abaixo a tabela na qual iremos nos pautar: some os pontos e interprete os seus resultados com atenção.

0 – 18 pontos: ausência de ansiedade

É possível que em algumas ocasiões você se sinta mais nervoso do que o habitual, mas sua resposta perante situações de ansiedade é adequada e dentro do normal.

19 – 36 pontos: nível de ansiedade leve ou moderado

Ainda está dentro do limite da normalidade, mas é preciso ter cuidado, porque, apesar de não ser um nível elevado, pode se desenvolver, caso limites não sejam estabelecidos, principalmente frente a algum problema ou a uma atual sobrecarga. Ou seja, você está no limite do normal, mas é preciso atenção, pensar mais em sua saúde e na necessidade de controlar melhor suas emoções.

37 – 54 pontos: ansiedade alta

Cuidado! Seus níveis de ansiedade estão muito altos. É hora de fazer mudanças, movimentar-se e conscientizar de que existem alguns pontos em sua vida que precisam ser melhor administrados, a fim de que não afetem sua saúde e sua vida em geral.

Se você não prestar a devida atenção frente a possíveis descompassos em sua ansiedade, poderá adquirir enfermidades e desajustes psíquicos e emocionais decorrentes dessa displicência.

Seja honesto(a) com sua real situação e reconheça como as coisas estão acontecendo dentro de você, isso será essencial para que você compreenda o que precisa necessariamente começar a mudar.

Não tenha medo de se confrontar e reconhecer as situações que precisam ser tocadas e melhor trabalhadas. Sem essa verdade e honestidade, não poderão existir verdadeiras curas e transformações em sua história, por isso o convido a viver este processo de autopercepção com dedicação e solicitude, visto que ele concretamente inserirá seu coração nesta linda dinâmica de superação que aqui estamos apresentando.

Nestes dois primeiros capítulos, realizamos um objetivo autodiagnóstico, a fim de nos aventurarmos na tarefa de construir um caminho consistente de auto-observação e autotranscendência, implementando hábitos mais saudáveis e construtivos em nossa rotina. Sejamos persistentes e trilhemos juntos este percurso, na certeza de que ele nos será terapêutico e nos ajudará muito no ofício de tornar nossa vida mais leve, plena e transfigurada pelo Bem.

Perseveremos neste caminho de autoconhecimento e superação.

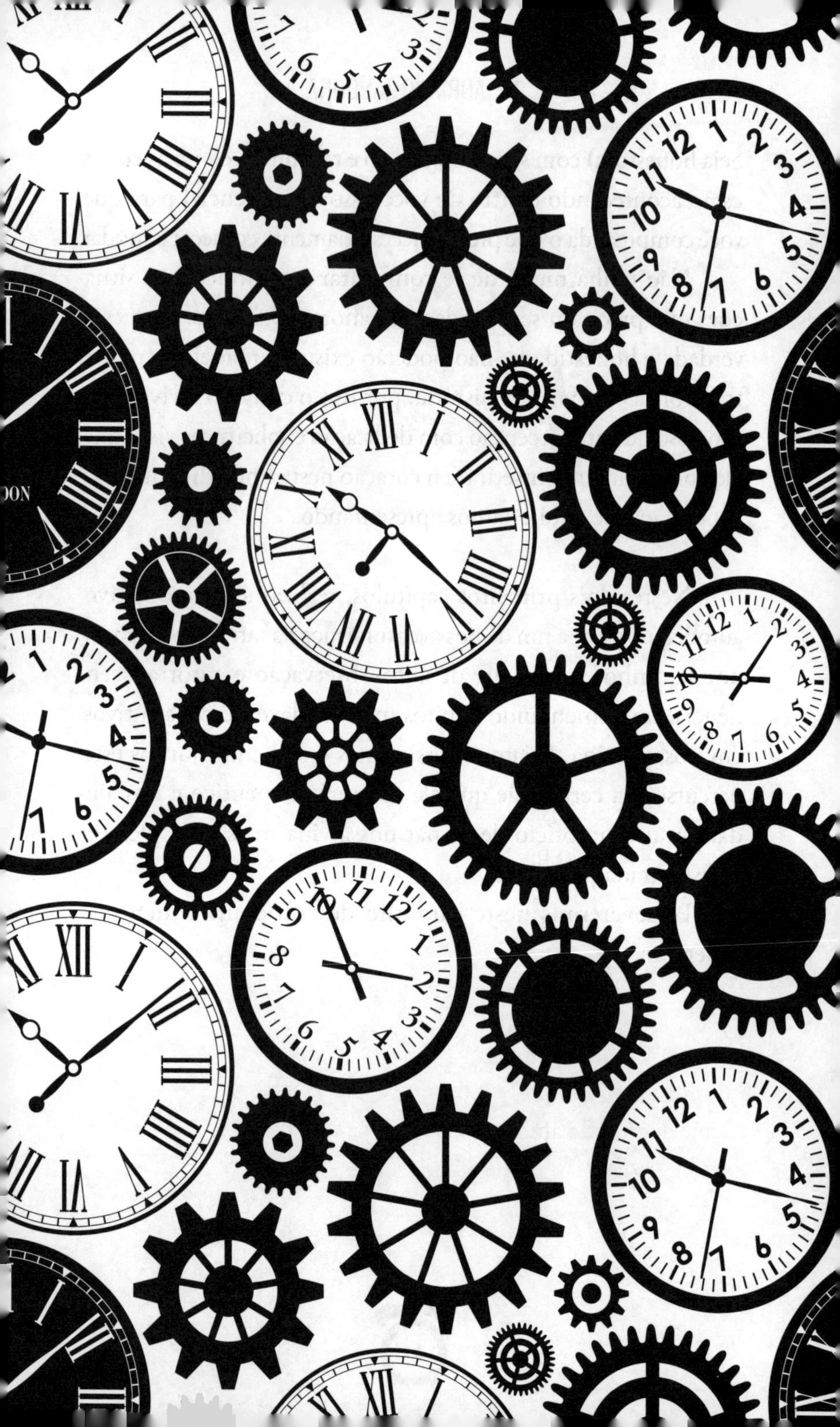

REALIDADES QUE INTENSIFICAM A ANSIEDADE

Q uando você e eu deixamos de fazer coisas naturais, como dormir ou conversar, porque a nossa cabeça está a mil por hora calculando todas as possibilidades e perigos possíveis de uma situação imaginária, aí começamos a ter um problema pelo descompasso da ansiedade. Neste ponto, ela (ansiedade) se torna um real obstáculo porque causa grande impacto em nossa vida diária, limitando nossas experiências e nos levando a prejuízos em específicas áreas de nossa existência.

O coração acelera e somos bombardeados por uma corrente de adrenalina. A boca seca e as mãos suam. Isso é o corpo se preparando para enfrentar uma ameaça. São muitas as pessoas que em nosso tempo enfrentam cotidianamente tais sensações, só que desta vez a ameaça não mais é um tigre-de-dente-de-sabre, como acontecia com nossos ancestrais, mas ela surge de nossa

COMO CONTROLAR E VENCER A ANSIEDADE?

própria cabeça. Estimam-se[9] que cerca de 23% dos brasileiros possam desenvolver algum tipo de transtorno de ansiedade ao longo da vida. Isso é quase toda a população da Espanha.

Diante dos níveis complexos e praticamente endêmicos de ansiedade constatados em nosso tempo, neste capítulo apresentarei algumas possíveis realidades que são intensificadoras deste processo em nós, a fim de que melhor compreendamos alguns dos contextos contemporâneos que estimulam tal desdobramento, podendo melhor nos posicionar diante deles.

Vivemos em um tempo que inspira ansiedade e insegurança, isso em virtude de estarmos vivendo concretas transformações nunca antes experimentadas. Recebemos um fluxo enorme de informações todos os dias, e muito deste conteúdo nos inspira medo e apreensão. Acompanhamos com precisão o que acontece nos quatro cantos da terra, sobretudo com relação às tragédias e más notícias que se concretizam em todo o globo.

Acompanhamos, em primeira mão, toda a violência e os crimes bárbaros que acontecem em nossa cidade como em todo o mundo, e parece que este tipo de notícia acaba sendo hiperveiculada – e até "espetacularizada" – em nossos modernos meios de comunicação. Nossos olhos, ouvidos e emoções – portanto, nosso cérebro cognitivo e sensorial – acabam sendo invadidos por essa onda de violência e insegurança, que são recorrentemente veiculadas nas programações que todos os dias recebemos.

Não acredito que a verdade dos fatos deva ser negada ou ocultada, todavia, percebo que muitas vezes a mídia atual tem

---

[9] Dados coletados em: https://blog.zenklub.com.br/o-que-ansiedade-pode-causar-em-voce/.Acesso em: 14.05.2018.

nos viciado na espetacularização da tragédia, veiculando isso de maneira abusiva e recorrente, porque, como todos sabemos, esse tipo de informação vende mais e alcança níveis maiores de audiência. Esse excesso de estímulo violento contribui para nos deixar mais ansiosos e, por incrível que pareça, mais propensos a aceitar e a também realizar atos violentos.

Nos filmes, na literatura, nos jogos de vídeogame (principalmente) e até nas músicas, muitas vezes a violência tem sido profundamente mostrada – e até estimulada. E tudo isso a tem tornado parte de nosso cotidiano, sendo aceita como realidade extremamente natural. Estamos nos habituando a conviver com o medo e a insegurança, e isso tem adoecido nossa sociedade em muitos aspectos.

É difícil você conseguir encontrar um filme atualmente, de Hollywood, por exemplo, que não contenha cenas explícitas de violência e/ou sexo sem compromisso: muitas vezes o enredo nem tem a ver com tais realidades, mas o roteirista faz questão de colocá-las, pois ele sabe que assim venderá mais. Muitas pessoas de nosso tempo temem a violência, mas, ao mesmo tempo, viciaram-se nela. É um paradoxo triste, mas real.

O fato é que estamos recebendo uma carga muito grande de informação e estímulos todos os dias, e no meio de tudo isso acabamos recebendo muita "desinformação" e muito conteúdo negativo.

Recebemos, da mesma forma, uma carga elevadíssima de estímulos visuais e sensoriais – diuturnamente – através da internet, e isso também contribui para nos deixar com a sensação de que estamos sempre cheios de coisas para pensar e de que

COMO CONTROLAR E VENCER A ANSIEDADE?

temos a necessidade de estarmos sempre conectados, deixando nossa mente sempre em estado de alerta.

Queremos sempre saber o que está acontecendo e o que as outras pessoas estão postando, e tudo isso também contribui para que estejamos agitados e propensos a uma vivência desajustada da ansiedade.

Não sou avesso à internet, acredito que ela é fantástica e nos trouxe benefícios muito expressivos. Todavia, penso que este é o momento de começarmos a pensar em uma maneira mais sábia de nos relacionarmos com ela, pois, ao contrário, correremos o risco de acentuarmos ainda mais a intensa onda de ansiedade presente em nosso tempo, deixando um legado muito negativo para as próximas gerações.

Do mesmo modo, é muito comum encontrarmos pessoas temerosas e inseguras diante do alto índice de desemprego, em um país subdesenvolvido como o Brasil, por exemplo, receando – com razão – as difíceis circunstâncias que precisarão ser enfrentadas no mercado de trabalho. Ainda mais porque estamos assistindo ao contínuo avanço da técnica e informatização na indústria e em vários outros setores do mercado, tudo isso substituindo gradativamente o emprego de várias pessoas, antes visto como totalmente estável. Tais realidades têm sido fonte de inquietação para muitos(as), sobretudo para os jovens, que lutam muito para trabalhar: eles, muitas vezes, até se formam, mas enfrentam muita dificuldade de encontrar boas possibilidades e perspectivas para o futuro.

Em um país como o Brasil, está cada vez mais difícil sobreviver e sustentar uma família, e isso também é fonte de inquietação e ansiedade para o coração de muitos(as)[10]. Antigamente, ter filhos era somente uma escolha dos pais que não afetava excessivamente o orçamento das antigas famílias rurais, contudo, em nosso tempo, tornou-se extremamente caro e difícil sustentar um filho(a), sendo que essa tarefa tão humana e natural se tornou extremamente onerosa, o que acaba sendo fonte de ansiedade e inquietação para os pais que decidem colocar uma criança no mundo. Muitos se percebem intensamente inquietos e preocupados, inseguros em relação ao futuro do filhos, por não saber se terão condições de prover as devidas necessidades de seus descendentes.

Em um tempo no qual muitíssimos adolescentes e jovens têm se perdido nas drogas, sofrido graves acidentes de carro, sendo afetados pela crescente violência, é muito comum os pais experimentarem ansiedade e preocupação acerca do futuro de seus filhos. Essas são todas preocupações naturais e, infelizmente, com muito fundamento em nosso tempo, todavia, se o coração não aprender a bem administrá-las, elas poderão evoluir para padrões de transtornos ansiosos e até possíveis "paranoias" comportamentais.

Não que antigamente não havia problemas e dificuldades, mas é fato que no passado não recebíamos este influxo de informação – e desinformação – que recebemos hoje e não tínhamos acesso a tantas más notícias como agora. Tudo isso tornou-se um foco de tensão e exige novos recursos e respostas da parte de nossa mente e nosso coração.

---

[10] Sobre isso discorreremos posteriormente.

COMO CONTROLAR E VENCER A ANSIEDADE?

Isso não quer dizer que as respostas que o ser humano do século XXI busca mudaram, o fato é que as suas perguntas mudaram. As respostas de antes já não respondem mais às perguntas das pessoas de hoje – sobretudo dos mais jovens –, e todos estamos ainda lutando para compreender essas novas perguntas e esses novos contextos, a fim de encontrarmos melhores respostas para elas.

Em um mundo de imediatismo e de uma exposição exacerbada de tudo o que se vive, os seres humanos de hoje estão cada vez mais procurando outras formas de reconhecimento e realização, e não mais estão se contentando com as respostas oferecidas no passado. Eles buscam uma "felicidade" que seja rápida, que não exija esforço e que gere sempre muito prazer. Na verdade, parece que o ser humano contemporâneo se tornou fraco e raso demais.

Percebe-se a imensa lacuna que neste ponto se estabeleceu, visto que muitos não estão encontrando o que buscam e, por isso, estão concretamente desistindo da vida (para constatar isso é só verificar a crescente elevação das taxas nacionais e internacionais de suicídio, sobretudo entre os jovens e adolescentes). O fato é que nós ainda não aprendemos a lidar com as necessidades e os estímulos de nosso tempo, nem compreendemos os caminhos que devem ser trilhados para superar esse imenso vazio de significado presente na alma de muitíssimas pessoas atualmente.

São inúmeros e complexos os fatores que têm em nós intensificado a ansiedade, e todos precisamos rezar e refletir sobre eles, procurando os melhores recursos para enfrentá-los: ressignificando o que foi perdido e descobrindo um concreto caminho de equilíbrio e superação. Essa é uma tarefa exigente e real confiada a todos nós que realizamos a aventura de existir neste tempo, o qual comporta – sem dúvida – inúmeros desafios, mas também muitíssimas oportunidades.

Não obstante os desafios e circunstâncias culturais que foram apresentados até aqui – que foram importantes para nossa reflexão –, apresentarei agora outras realidades, sob o ponto de vista comportamental, que precisam ser também consideradas neste ponto de nosso percurso.

Existem algumas outras posturas subjetivas que têm contribuído muito para essa descompensação ansiosa, dentre as quais quero agora enfatizar a imatura vontade de tudo querer dominar ou controlar. Em uma vida composta por tantas incertezas, cultivar a pretensão de ter tudo o que acontece "nas próprias mãos" é fonte de constante tensão e ansiedade para o coração.

Existem realidades que nos excedem, que não dependem de nós e que não conseguiremos – objetivamente – controlar. *Gastar tempo e energias com aquilo que não podemos controlar é baixar as guardas para que processos de ansiedade nos atinjam e desequilibrem. Existem muitas realidades para as quais podemos e devemos nos preparar, todavia, será sabedoria compreender que aquilo que nos excede não nos pertence.*

Neste ponto será preciso estimular a alma para a confiança e a fé, realidades essenciais neste caminho de superação, as quais serão devidamente aqui abordadas em reflexões posteriores. Elas nos ajudarão a entender que não devemos sofrer por aquilo que não podemos mudar ou controlar, mas devemos entregar essas realidades nas mãos de Deus e prosseguir nosso caminho em paz.

Outra realidade subjetiva, que é propulsora da ansiedade em nós, é o medo, sobretudo aquele que é irracional. Será essencial cultivarmos a perspicácia de não ouvirmos em tudo a sua voz, visto que ele nos faz aumentar e hipervalorizar as coisas que enfrentamos. O medo é um recurso necessário para nossa sobrevivência enquanto seres humanos, contudo, quando ele se torna o motor de todos os nossos pensamentos e todas as nossas emoções, nossas atitudes perdem a espontaneidade – e a coragem – e nos tornamos reféns de uma pobre zona de conforto, que não nos deixa ir além de nossos limites nem desenvolver nossos talentos. Ele nos rouba a ousadia e a capacidade de sensatamente arriscar, tornando-nos engessados diante de muitas possibilidades que a vida tem a nos oferecer.

Os apegos às coisas e às pessoas também são uma fonte geradora de ansiedade. Quando nos apegamos demais às coisas, pessoas e situações, tendemos a nos tornar ansiosos e agitados diante do receio de perder tais realidades. *É difícil não se apegar, no entanto, será uma concreta caridade com nosso próprio coração aprender a amar de forma livre e desapegada, pois o desequilíbrio no afeto – manifesto pelo apego – será sempre um intensificador de realidades que nos roubam a paz e nos fazem sofrer.*

Apegar-se excessivamente não resolverá nossos problemas, nem impedirá as coisas e as pessoas de passarem. No fundo, a vida, as pessoas e o que temos não são nossos. Tudo vai passar e já está passando neste momento... Somos apenas os administradores de tais realidades, e, quando temos a pretensão de sermos os donos da vida e do tempo, apenas nos agitamos e povoamos o nosso coração com a ansiedade.

Será preciso cultivar a sensatez de saber "curtir" verdadeiramente cada realidade que nos é oferecida, porém sem se prender nem se amarrar emocionalmente a tais circunstâncias e presenças. *Será necessário aprender a amar sem possuir, sem se autodeclarar como o "dono(a)" das pessoas e realidades.*

Os pensamentos negativos e as preocupações exageradas, acentuados por nossa criatividade, também são uma realidade que nos furta a sobriedade e nos torna suscetíveis ao desequilíbrio da ansiedade. Eles nos fazem criar problemas onde eles não existem e nos levam a cogitar um turbilhão de possibilidades negativas. Por isso será preciso cultivar uma sincera moderação quando precisarmos avaliar nossas preocupações, retirando os excessos desequilibrados e formulados por nossas fantasias e exageros.

Sei também que, muitas vezes, alguém que sofre um transtorno de ansiedade não consegue bem controlar os próprios pensamentos e as próprias emoções. Compreendo você, que vive isso, e quero me solidarizar com a sua desafiante realidade. Tenha paciência com você mesmo e trilhe o caminho apresentado neste livro confiando sempre em Deus, que é infinitamente maior que suas dificuldades atuais e que a sua ansiedade. Ele sabe o que você está enfrentado e vai ajudá-lo(a) a superar isso. Tenha coragem e fé, não desista de lutar contra as dificuldades que hoje roubam a sua paz.

Enfim, são muitas as realidades que têm acentuado os desequilíbrios da ansiedade presentes na vida de tantas pessoas atualmente. E todos nós, filhos deste tempo, estamos – em maior ou menor escala – sendo constantemente estimulados para nos tornarmos pessoas agitadas e ansiosas. Compreender isso e entender os seus muitos instrumentais já é uma grande conquista, que nos tornará hábeis à superação.

Nem tudo está perdido, e os descompassos gerados pela ansiedade não são um caminho sem volta. Os 5 segredos que posteriormente apresentarei aqui nos ajudarão muito na tarefa de controlar e vencer tais realidades, sendo para nós verdadeiros "remédios" para combatermos esses desequilíbrios. Eles nos conferirão força e método e nos apresentarão recursos mais amplos para enfrentarmos os obstáculos de cada dia.

Tenho certeza de que esses segredos poderão ajudá-lo(a) muito, tornando-o(a) uma pessoa mais serena, madura e feliz. Peço que você se aplique a realizá-los, crendo que seu esforço pessoal, unido ao poder amoroso de Deus, poderá levá-lo(a) a vitórias e transformações que você é sequer capaz de imaginar. Decida-se hoje a acreditar e a lutar conscientemente por sua cura e transformação!

Encerremos este capítulo com uma linda oração.

Oração

Senhor Deus, obrigado porque não existem problemas ou dificuldades que sejam maiores que o Teu poder. Obrigado porque não estou sozinho(a) para enfrentar minhas lutas e desequilíbrios: contigo posso ir mais longe e superar as dificuldades que parecem impossíveis para mim.

Hoje professo a minha fé em Tua presença e amor e me decido a lutar contra tudo o que rouba minha paz e serenidade. Eu fui criado para ser feliz e para me desenvolver em todas as áreas de minha vida. Por isso, em Teu nome, Jesus, eu hoje renuncio a toda tristeza, desânimo, pensamentos negativos e falta de fé, e professo que eu acredito no Senhor e no Teu amor.

Acredito que o Senhor pode me libertar e me levantar de toda e qualquer prostração. Meus medos e dificuldades não são maiores

que o Teu poder! Não tenho motivos para ter medo, posso confiar em Ti! Entrego-Te hoje minha vida e liberdade, e peço que o Senhor me conduza com a Tua mão. O Senhor me ama muito e só quer o meu bem: por isso peço a Tua ajuda, peço que o Senhor me guie e me retire deste labirinto interior, ao qual as circunstâncias de minha vida me trouxeram. Permito que o Senhor faça o que precisa fazer em minha vida: realiza a Tua obra e livra-me de tudo aquilo
que não faz parte do Teu projeto para minha história.
Encha-me agora com o Teu espírito e coloca tudo em ordem em minha mente e em minhas emoções, Senhor.
Eu aceito Teu amor e cuidado em minha vida, e Te assumo como meu único senhor.
Obrigado porque o Senhor já está me acolhendo e me conduzindo neste caminho profundo de alegria, cura e transformação. Amém.

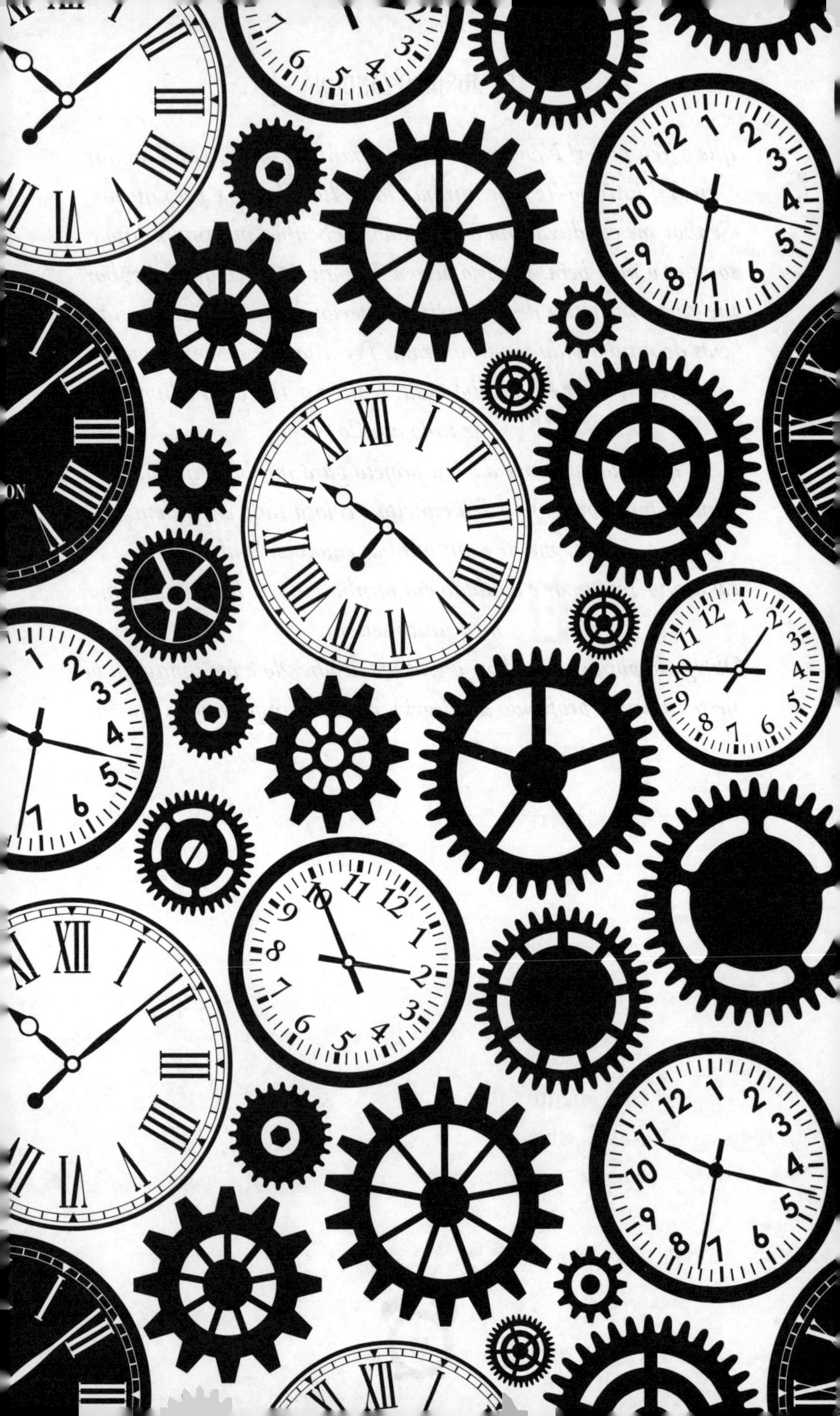

UMA PALAVRA DE RESPEITO: ACOLHENDO A SUA DOR E RESPEITANDO O PONTO EM QUE VOCÊ ESTÁ

Antes de adentrarmos diretamente nos 5 segredos que proporei, quero, com este capítulo, abrir um espaço de respeito e acolhimento de sua concreta realidade. Este é o momento no qual quero acolher sua luta atual e a expressão de seu sofrimento diante da ansiedade que, talvez, você esteja enfrentando, e desejo respeitar profundamente este processo que é só seu.

Sempre costumo enxergar com muito apreço e reverência as dores e o sofrimento de cada pessoa, porque, afinal, é ela quem os está sentindo e sabe qual é o embate que tal realidade lhe acarreta todos os dias. Por isso aspiro que aqui você se sinta acolhido(a) e livre para revelar-se naquilo que você sente de mais profundo. Saiba que somente o fato de conseguir se expressar já é um ato

COMO CONTROLAR E VENCER A ANSIEDADE?

profundamente terapêutico e curativo, e quando conseguimos fazê-lo, com liberdade e confiança, podemos desentulhar muita coisa que estava abafada e até "apodrecida" dentro de nós.

Com o propósito de auxiliá-lo nesta expressão de suas emoções, irei agora partilhar uma carta escrita por uma jovem a um jornal eletrônico nos EUA, através da qual ela manifestou-se claramente acerca dos sofrimentos a ela causados pelo excesso de ansiedade. Peço que você a leia com serenidade e sem receios.

Após esta leitura, deixarei um espaço para que você aqui se expresse, escrevendo como você se sente e o que a ansiedade descompensada, porventura, já tirou de você. Não tenha medo de fazê-lo e leve muito a sério esta parte do processo, que tem um lugar muito singular na atividade de nos ajudar a equilibrar os rompantes da ansiedade em nós.

Após essa primeira escrita, pedirei também que você se exprima, escrevendo detalhadamente a pessoa que você deseja se tornar através deste lindo processo de superação da descompensação ansiosa. Você é livre para escrever o que quiser, todavia, saliento que será extremamente necessário você descrever, ao término, a pessoa que você deseja se tornar (a pessoa que Deus o(a) criou para ser, com todos os dons e talentos que Ele depositou em seu coração): escreva detalhadamente as qualidades e virtudes que você quer alcançar, mentalizando e internalizando essa percepção.

Pois bem, segue o texto – em forma de desabafo – da jovem que mencionei.

PE. ADRIANO ZANDONÁ

O que realmente significa ter ansiedade

Vai além de simplesmente se preocupar.
Ansiedade significa noites em claro, conforme você suspira e vira de um lado para o outro.
É o seu cérebro nunca sendo capaz de desligar.
É a confusão de pensamentos que você pensa antes da hora de dormir,
e todos os seus piores medos depois aparecem em sonhos e pesadelos.
É acordar cansado mesmo que o dia só tenha começado.
Ansiedade é aprender como funcionar em privação de sono, porque você só conseguiu fechar os olhos às duas da manhã.
É toda situação que você pensa: "Como posso fazer isso da forma correta?".
É duas ou três mensagens que você manda se desculpando, caso tenha feito algo errado.
Ansiedade é responder às mensagens de forma embaraçosamente rápida.
Ansiedade é o tempo que você gasta esperando uma resposta, enquanto um cenário se monta na sua cabeça, questionando o que a outra pessoa está pensando ou se ela está brava com você.
Ansiedade é a mensagem não respondida que te mata por dentro, mesmo que você diga a si mesmo: "Talvez a outra pessoa esteja ocupada ou irá responder depois".
Ansiedade é você acreditar em cada cenário negativo que você cria.
Ansiedade é esperar...
Parece que você está sempre esperando.

COMO CONTROLAR E VENCER A ANSIEDADE?

É o conjunto de conclusões inexatas que sua mente cria, e você não tem outra escolha, a não ser aceitá-las.
Ansiedade é se desculpar por coisas que nem precisam ser desculpadas.
É duvidar de si mesmo e ter falta de autoconfiança.
É arruinar relacionamentos antes mesmo de eles começarem. Ela te diz: "Você está enganada; tal pessoa não gosta de você e vai te deixar". E você acredita.
Ansiedade é um estado constante de preocupação, pânico e viver no limite.
É viver com medos irracionais.
É pensar demais, é se importar demais.
Porque a raiz das pessoas ansiosas é se importar...
É ter mãos suadas e coração acelerado. Mas por fora, ninguém percebe.
Você aparenta estar calmo e sorridente, mas por dentro é o contrário.
Ansiedade é querer consertar algo que nem problema é.
É o amontoado de perguntas que te fazem duvidar de si mesmo.
É voltar atrás para checar novamente inúmeras vezes o que foi feito.
Ansiedade é tentar compensar e agradar demais a outras pessoas.
É o medo de fracassar e a busca incansável por perfeição...
E então se punir quando você falha.
É sempre precisar de um roteiro e de um plano para tudo.
Ansiedade é a voz dentro da sua cabeça que diz: "Você vai falhar!".
É tentar suprir as expectativas dos outros, mesmo que isso esteja te matando.

Ansiedade é aceitar mais do que você consegue fazer, para que você se distraia e não pense demais em outros assuntos. Ansiedade é procrastinar, porque você está paralisado pelo medo de fracassar.
É o gatilho que te faz ter um ataque de pânico...
É sofrer e chorar sem um aparente motivo,
é se agitar, sofrer quando ninguém mais está vendo.
É aquela voz crítica dizendo dentro de você:
"Você estragou tudo e você deveria mesmo se sentir um lixo agora".
Mas, mais que qualquer coisa, ansiedade é se importar demais com tudo...
É nunca querer machucar alguém.
É nunca querer fazer algo errado.
Mais que tudo, é o desejo de simplesmente ser aceito e querido.
Então você acaba tentando demais às vezes...
E quando você encontra pessoas que entendem isso, elas te ajudam a superar juntos.
Então você percebe que essa pode ser uma batalha que precisará ser enfrentada todos os dias, mas que ela não precisa ser enfrentada sozinha[11].

Essa foi a expressão dos sentimentos da jovem Kirsten Corley, que muito sofreu diante de sua ansiedade excessiva por vários anos. Essa franca partilha nos ajuda a compreender a ardilosa

---

[11] Este texto foi originalmente publicado no site Thought Catalog, por Kirsten Corley. Encontrado em: https://www.revistapazes.com/o-que-realmente-significa-ter-ansiedade/. Acesso em: 15.05.2018.

COMO CONTROLAR E VENCER A ANSIEDADE?

dinâmica que perpassa os descompassos da ansiedade e como isso pode realmente prejudicar a vida de alguém.

Peço agora que você faça o mesmo e que expresse, sem medo, sua pessoal percepção de como tal realidade tem se manifestado em sua vida. Gostaria de aqui poder chamá-lo(a) pelo nome, olhar em seus olhos e ser uma presença amiga a acompanhá-lo(a) neste processo. Este é um espaço no qual você pode se sentir extremamente acolhido(a) e valorizado(a) como você é e está, independente dos contextos hoje presentes em sua história.

Talvez você esteja vivendo uma vida difícil e exaustiva, com uma rotina estressante e repleta de cobranças. Pode ser que você não se sinta amado(a) e compreendido(a) por sua família e por aqueles que estão à sua volta. Quem sabe você esteja se sentindo extremamente esgotado(a) e "sugado"(a) pelas pessoas e circunstâncias presentes em sua história. Decerto seu coração esteja sentindo que a vida tem pedido de você mais do que suas forças são capazes de oferecer.

Talvez você não goste de você mesmo(a) e não se sinta feliz quando se olha no espelho. Pode até ser que você esteja se culpando e se condenando por seus erros e fracassos, e tenha vergonha de ser quem você é. Por vezes, talvez, você pense que sua vida não tem valor algum e que o melhor mesmo seria encerrá-la.

Independentemente de como você esteja se sentindo agora, saiba que você é acolhido(a) aqui como você é e está. Sua vida é muito importante e você é um grande dom para este mundo. Você não foi criado(a) à toa, você tem uma linda missão e uma específica contribuição a ser oferecida às pessoas deste tempo! Existem lindos dons e talentos que você pode e é convidado a desenvolver nesta etapa de sua vida!

Neste exato instante, estou pensando em sua história e rezando por você: aqui posso sentir o quanto você é especial e quantos são inúmeros os sonhos de felicidade preparados por Deus para sua história. Sua vida é um lindo dom, e tenha a certeza de que, se você der os passos certos, ela vai florescer e produzir muitos e belíssimos frutos.

Não se deixe abater por suas circunstâncias atuais e pelo sofrimento de hoje, levante a cabeça e vá para frente, tendo a certeza de que as dores e os problemas de hoje não durarão para sempre. Tudo isso vai passar, e posteriormente você vai se lembrar de suas dificuldades com um positivo orgulho de si mesmo(a), reconhecendo que tudo isso fez você crescer e se tornar uma pessoa mais forte e especial.

Deixo, agora, algumas linhas para você se expressar, escrevendo como hoje as coisas estão acontecendo em seu coração. Escreva, com confiança, o que a ansiedade e os sofrimentos da vida já tiraram de você. Não tenha receio de fazê-lo e saiba que este tipo de reconhecimento e expressão é importante neste ponto do processo.

Será de extrema importância você escrever (mesmo que não sinta vontade de fazê-lo), criando um relacionamento pessoal com o conteúdo aqui apresentado. Isso será de suma importância para a eficácia em seu itinerário de transformação: este livro é seu, e ele foi pensado e rezado para acolher sua história e ajudar você, por isso não tenha medo de nele agora escrever sobre o que acontece em seu mundo interior.

Escreva, pois, como você se sente diante das realidades apresentadas e o que você constata que o desequilíbrio da ansiedade

COMO CONTROLAR E VENCER A ANSIEDADE?

já roubou de você. Sinta-se livre e o faça com foco, levando o tempo que for necessário.

Saiba que tudo o que você escreveu aqui está somente entre você e Deus, e que tudo isso é profundamente acolhido e respeitado. Se essa é hoje a sua verdade, ela é muito bem-vinda aqui.

É importantíssimo conseguirmos expressar nossas frustrações e nossos medos, na certeza de que essas realidades não nos definem e de que poderemos superar tudo quando damos os passos certos.

Reconheça sua situação atual e recrute suas forças para enfrentar este que é o mal do século, a ansiedade. Não se escandalize com a constatação de possíveis pensamentos confusos e autodestrutivos, e não permita que o excesso de perfeccionismo atrapalhe seu caminho de superação.

Convido você agora a escrever detalhadamente a pessoa que você deseja se tornar. Você é livre para escrever o que quiser, contudo, será extremamente importante você descrever o ser humano que você deseja ser (a pessoa que Deus o(a) criou para ser). Descreva detalhadamente as virtudes e os talentos que você deseja desenvolver, mentalize tudo isso e expresse aqui.

_____

_____

_____

_____

COMO CONTROLAR E VENCER A ANSIEDADE?

_____

_____

_____

_____

_____

_____

_____

_____

_____

    Sua vida é a realidade mais importante, e ela é o maior propósito desta obra. Este livro foi escrito para você e por você, para revelar o quanto você pode e deve superar suas fragilidades e construir uma vida mais feliz, tornando-se a melhor versão de você mesmo(a) a ser ofertada para este mundo. Deus o(a) ama muito e está com você para ajudá-lo(a) a superar seus medos e dificuldades, com Ele você é mais forte e pode ir muitíssimo mais longe.

Você é um ser humano que está a caminho, lutando para transformar sua história e curar suas feridas. Seu coração está descobrindo a melhor forma de lidar consigo e vencer as próprias dificuldades. Seja paciente consigo mesmo e perseverante, e prossiga neste caminho na certeza de que coisas muito boas aguardam por você.

Após ter reconhecido suas dificuldades e se projetado para o futuro, internalizando sensorialmente a imagem de quem você deseja se tornar, prossigamos nosso percurso, na certeza de que a ansiedade e os desequilíbrios não são maiores do que a força que se esconde em nós e de que Deus – nosso Pai – pode nos libertar e nos inserir concretamente em um caminho de realização e conquista de uma vida mais plena e abundante (cf. Jo 10,10).

Despeço-me deste capítulo deixando-o com o sabor de um poema que inspira recomeços. Que ele possa contribuir, pela força do lúdico, para parturiar transformação e novas reflexões acerca de sua história e da pessoa a qual você é chamado(a) a se tornar.

Poesia

Quando as sombras de outrora me apavoram e a angústia pega carona em minha mente,
sinto saudades do que ainda não sou
e me decido a construir um trajeto que me leve além de inverdades.
Elas – inverdades – chegam despretensiosas,

COMO CONTROLAR E VENCER A ANSIEDADE?

mas ofendem meu desejo e me roubam a quietude.
Sigo insatisfeito e imperfeito, e a isso é bom reconhecer.
Trilho o percurso das estrelas, que sabem que possuem luz.
Por mais que a espera se estabeleça, toda luz foi feita
para brilhar!
Vai acontecer!
Mesmo quando a alma se questiona: Quem inventou a dor?
É preciso saber reencontrar a estrada, costurando,
com a agulha da sensibilidade,
os retalhos que trazem aconchego e a cor ao que descansa
na memória.
É preciso saber não adormecer a esperança,
e em tudo lutar com as armas certas.
Na alma há um sonho a ser revelado, beleza ansiosa de se
despertar.
Há em ti força incontestada, potencial pra voar alto,
conquistando certezas e lugares que a alma sequer imaginou.
Nesta história há espaço para um conquistador real: Você!
Realize o esforço de crer que é possível,
e não desista de prosseguir na meta de tornar-se o seu melhor.
O propósito vai acontecer,
o investimento do Infinito vai mostrar-se,
revelando o Bem que alicerça seus passos.
Componha hoje a melodia da superação e trilhe, com passos firmes,
esta estrada de inúmeros valores e ganhos,
alcançando o êxito que foi preparado para você.

Pe. Adriano Zandoná

CINCO SEGREDOS PARA SUPERAR A ANSIEDADE: UMA ESTRATÉGIA PARA COMBATER O "MAL DO SÉCULO"

A ANSIEDADE, COMO AFIRMAMOS, TEM evoluído para um estado de desequilíbrio e ocasionado enfermidades em muitíssimas pessoas. Ela tem tornado cativas uma multidão de mentes, fazendo-as existir sob o signo da confusão e da pressa. Por isso precisaremos, cada vez mais, ter consciência dos riscos que ela encerra, prevenindo a nós mesmos e os nossos diante dos gatilhos que a podem acentuar.

Os sintomas de um quadro intenso de ansiedade são multi-formes e facilmente podem chamar nossa atenção. O Transtorno de Ansiedade Generalizada (TAG), por exemplo, pode afetar tanto a maneira como construímos nossos pensamentos como a nossa realidade física, fazendo com que inúmeros sintomas

COMO CONTROLAR E VENCER A ANSIEDADE?

venham à tona. Apenas a título de informação, citarei abaixo alguns dos principais possíveis sintomas evidenciados em um caso de TAG.

- Visão irreal de problemas,
- Inquietação ou sensação de sempre estar "nervoso",
- Irritabilidade,
- Tensão muscular e dores nas articulações,
- Dores de cabeça,
- Sudorese,
- Dificuldade em manter a concentração,
- Náuseas,
- Necessidade de ir ao banheiro com frequência,
- Fadiga e sensação de cansaço constante,
- Dificuldade para dormir ou de se manter acordado,
- Surgimento de tremores e espasmos,
- Ficar facilmente assustado,
- Estar sempre apreensivo.

Além disso, as pessoas com este tipo de desordem poderão, se não desenvolverem um cuidado atento e proativo diante dessa realidade, evoluir para uma depressão ou para outros problemas adicionais com o uso indevido de drogas ou álcool. Será preciso se atentar, de forma prudente, à base geradora deste tipo de desordem, compreendendo a que tipo de desconforto ela está associada em nossa história. Tal contrariedade pode estar diretamente relacionada com um trauma e com eventos estressantes, tais como um abuso, a morte de um ente querido, um divórcio, uma mudança de emprego ou escolas etc.

O uso ou a retirada repentina de substâncias químicas, incluindo álcool, cafeína e nicotina, também podem piorar consideravelmente este quadro.

Nossa contemporânea ansiedade, com as consequências que ela tem nos causado, era coisa impensada e difícil de se prever há pouco mais de um século. A primeira pessoa a abordar este conceito da maneira como a conhecemos hoje foi Sigmund Freud, no fim do século XIX. Ele o fez com uma definição um pouco vaga, afirmando que a ansiedade era somente "o medo de algo incerto, sem um objeto definido". O significado mais aceito para este termo, porém, foi usado pela primeira vez pelo psiquiatra australiano Aubrey Lewis, que, em 1967, descreveu o termo como "um estado emocional com a qualidade do medo, desagradável, dirigido para o futuro, desproporcional e gerador de um intenso desconforto pessoal"[12].

De forma geral, a ansiedade é um sentimento incômodo e típico de quem vive se preocupando com as coisas que ainda vão acontecer. É basicamente uma preocupação acentuada por estímulos demasiados, ressaltados por uma carga exorbitante de informação recebida todos os dias, a qual nos faz cogitar milhões de possibilidades e motivos de apreensão.

Segundo Richard Saul Wurman, em seu livro *Ansiedade de Informação*, uma edição de domingo do jornal The New York Times, por exemplo, tem cerca de 12 milhões de palavras

---

[12] Afirmações presentes em: https://super.abril.com.br/saude/sobre-a-ansiedade/. Acesso em: 18.05.2018.

COMO CONTROLAR E VENCER A ANSIEDADE?

e contém mais informação do que um cidadão do século XVII recebia ao longo de toda a sua vida. A capacidade de computação mundial aumentou 8 mil vezes nos últimos 40 anos. Com esse ritmo, especialistas calculam que produzimos mais informação na última década do que nos 5 mil anos anteriores. E todo esse estímulo acaba nos agitando e causando uma inquietação com relação ao futuro. "Parece que nós não fomos desenhados pela evolução para lidar com tanta informação, e isso tem afetado o equilíbrio da ansiedade em nós", diz o especialista da Universidade de Oxford Christian Perring.

Vida agitada, excesso de informações, pressão e stress somam-se, gerando este desajuste que tem prejudicado muito a qualidade de nossa vida. Tudo isso não pode ser desprezado ou subestimado. É hora de encarar essa realidade de frente, e você, está pronto(a)?

Apresentarei agora 5 posturas objetivas – 5 segredos – que são simples e intuitivas, mas possuem uma substancial eficácia para nos proporcionar um resgate do equilíbrio em nosso corpo e em nossas emoções.

Façamos juntos este percurso.

PRIMEIRO SEGREDO: CONHEÇA-SE

Por mais que eu já tenha discorrido um pouco sobre a necessidade de auto-observação para superarmos os desequilíbrios da ansiedade, quero aqui precisamente detalhar alguns aspectos deste processo, visto que ele é extremamente importante para sermos capazes de controlar e vencer os descompassos da ansiedade em nós.

Por incrível que pareça, muitas vezes o processo de ansiedade se intensifica em nós em virtude de não sabermos compreender suas verdadeiras e profundas causas, não conseguindo nos conhecer em profundidade. É fato que podem existir fatores genéticos que contribuam para que a ansiedade se descompense, alguns dos quais abordarei aqui, mas, na grande maioria dos casos, este processo se acentua mesmo em virtude de algo que está desarmônico em nossa própria vida, e isso precisaremos compreender e nomear.

Talvez uma expectativa exagerada, um medo descompensado diante do que está por vir, um estilo de vida estressante sem oportunidades de repouso, excesso de atividades, mágoas não superadas, frustrações não absorvidas, um tipo de alimentação muito errada, excesso de comparação com os outros, enfim, tudo isso pode estar na base do desequilíbrio da ansiedade em nós.

Acredito que não poderá haver uma verdadeira superação de tal realidade, enquanto não perguntamos a nós mesmos quais são as circunstâncias e atitudes que realmente estão na raiz deste desajuste.

Quem aprende a se conhecer bem e a se ouvir, conseguirá melhor entender o que em sua vida está fora do lugar, talvez, desde sempre. *Quem busca se compreender tem mais possibilidade de respeitar seus limites, sabendo dizer não quando necessário, e por isso é capaz de se proteger melhor, tendo menos ansiedade que outras pessoas que ainda não se conhecem e não se possuem com precisão. Quem desenvolve conhecimento e aceitação de si pode pensar, dizer e agir sem culpa e com um total alinhamento às suas reais necessidades.*

Abro aqui um "parêntese" para afirmar que, mesmo quando as causas são genéticas ou hormonais, o conhecer-se será essencial para que possamos compreender como tem se processado o gatilho da ansiedade em nós, para assim nos posicionarmos com mais êxito diante de suas reais causas. Será de suma importância conhecermos nossas humanas pré-disposições e contextos, para podermos lutar, com mais assertividade, para sanar essa ardilosa realidade.

Será preciso se investigar, a fim de melhor perceber como estão funcionando nossas funções naturais, e assim conseguir identificar se existe algum aspecto em nosso cérebro ou em nosso corpo que não tem trabalhado como deveria. Novamente citando a TAG, por exemplo, será necessária uma atenção específica sobre a forma como as coisas estão se processando em nossa mente, pois este transtorno pode também ser associado ao funcionamento anormal de certas células nervosas que conectam regiões em nosso cérebro envolvidas no pensamento e na emoção. Essas conexões de células nervosas dependem dos chamados neurotransmissores, que são os transmissores das informações de uma célula nervosa para a outra. Se "as vias que conectam regiões do cérebro não estiverem funcionando de forma eficiente, os problemas relacionados ao humor ou à ansiedade inevitavelmente aparecerão. Medicamentos, terapias, uma vida de espiritualidade e/ou outros tratamentos que são pensados para 'ajustar' esses neurotransmissores podem melhorar muito a conexão entre estes circuitos e sanar grande parte dos sintomas relacionados à ansiedade ou à depressão"[13].

Essa observação atenta de como está funcionado nossa mente e nossas funções físicas, como um maior conhecimento sobre a herança genética que recebemos de nossos antepassados, é fundamental em nossa tarefa de combater os desajustes da ansiedade. Por exemplo, pesquisas realizadas pela Universidade de Bonn (na Alemanha) descobriram a existência de um gene chamado COMT, que está presente em um quarto da população mundial. Uma mutação nesse gene gera na mente da pessoa em questão uma predisposição ao pensamento catastrófico, e por isso quem tem essa mutação pensa que as coisas sempre vão

---

[13] Afirmações baseadas em uma pesquisa presente em: https://www.lysispsicologia.com.br/transtornos/ansiedade/transtorno-de-ansiedade-generalizada/. Acesso em: 20.05.2018.

COMO CONTROLAR E VENCER A ANSIEDADE?

dar errado e, por consequência, é naturalmente mais ansioso que os demais.

Um olhar atento para si e para o funcionamento das próprias aptidões naturais poderá nos ajudar muito na hora de enfrentarmos os excessos de inquietude em nós, pois com este conhecimento poderemos usar as armas certas para curar as verdadeiras fragilidades que fizeram morada em nossa história.

Há também outro fator natural intensificador da ansiedade que é predominantemente presente nas mulheres, visto que elas costumam sofrer mais com os desequilíbrios da ansiedade por dois motivos. O primeiro é hormonal, como afirma o professor Valentim Gentil, da USP, que é PDH em Psiquiatria pela Universidade de Londres: "A mulher não produz hormônios regularmente como o homem. No período pré-menstrual, por exemplo, o cérebro dela fica privado de duas substâncias calmantes e antidepressivas, que são o estrógeno e a progesterona. Essa produção inconstante causa a TPM e a deixa mais vulnerável aos transtornos ansiosos".

O segundo é social: para as mulheres, é mais natural expressar os sentimentos, e elas são treinadas desde pequenas a externar sensações normalmente. Essa maior sensibilidade emocional acaba deixando-as mais vulneráveis aos gatilhos que despertam a ansiedade[14].

Ter ciência dessas informações é muitíssimo valioso, pois torna a pessoa em questão mais consciente e, quando preciso, mais paciente consigo para enfrentar tais contrariedades.

---

[14] Afirmações presentes em: https://super.abril.com.br/saude/sobre-a-ansiedade/. Acesso em: 18.05.2018.

Uma atenta observação de todos os possíveis fatores genéticos e hormonais, como dos episódios presentes em nossa história, será imprescindível quando buscamos, honestamente, superar a ansiedade desmedida e equilibrar seus apelos em nós.

Não obstante as causas genéticas e físicas acima apresentadas, que precisam mesmo ser atentamente consideradas, é preciso ressaltar que, na grande maioria das vezes – como já mencionei anteriormente –, os processos de ansiedade estão diretamente associados ao nosso estilo de vida, por vezes composto por excessos e realidades tóxicas que carregamos em nossa mente e em nosso coração. Em muitos casos, a raiz de tal desequilíbrio será precisamente uma gama de emoções desajustadas e feridas que acabamos internalizando, as quais precisaremos, com sabedoria, enfrentar e transformar.

De nada adiantará você – ou eu – tomar remédio para conter a ansiedade, se antes você não se decide a fazer uma verdadeira faxina emocional, limpando seu "cômodo interior". De nada vai adiantar você querer equilibrar sua ansiedade, se os reais desequilíbrios estão presentes dentro de você e no jeito como você foi absorvendo e guardando suas experiências.

Em muitas circunstâncias, a ansiedade será apenas um sintoma, um grito da alma pedindo socorro, clamando que você a liberte de venenos e podridões que nela estão armazenados. Por isso eu sempre proponho uma reflexão a quem me procura acusando transtornos de ansiedade: O que possivelmente pode estar em desajuste dentro de você, causando esta realidade? Existe alguma coisa, ainda não superada em sua história, que possa estar desencadeando essa tensão emocional?

COMO CONTROLAR E VENCER A ANSIEDADE?

Talvez seja necessário realmente enfrentar uma situação difícil (tal como uma perda ou um sofrimento), da qual talvez estejamos fugindo a todo custo. Em muitos casos será preciso uma concreta liberação do perdão, por exemplo, resolvendo a situação conflitiva primeiramente em nosso próprio interior, para que assim as coisas se reajustem e recobremos nosso equilíbrio emocional e psíquico.

A ansiedade de fora não vai silenciar, se antes você não se decidir encerrar a causa da ansiedade que está dentro: por mais que seja difícil e desafiante, precisaremos enfrentar as feridas e os fantasmas de nossa história, ao contrário, seremos seus eternos fugitivos.

Por vezes, o descompasso da ansiedade estará diretamente ligado a uma concreta não aceitação de sua história e da forma como as coisas o atingiram. Essa atitude emocional de não aceitação é profundamente tóxica e geradora de tensão interior: *não somos quem gostaríamos de ser nem temos uma história perfeita – como talvez tivéssemos idealizado, por isso um processo de autoaceitação será extremamente curativo nessa empreitada de equilibrar os níveis de ansiedade em nossa mente e em nosso coração.*

Se não conseguimos nos reconciliar com nossa própria história, aceitando a nós mesmos e o que nos aconteceu, dificilmente seremos capazes de superar a ansiedade e realmente equilibrar as coisas em nossa mente e em nosso coração.

Em tudo isso precisaremos procurar nos conhecer profundamente, para compreender com amplitude o que possa estar desencadeando a desordem da ansiedade em nós.

Outro fator que pode gerar o descompasso da ansiedade são os excessos de expectativas que lançamos sobre nós mesmos, as pessoas e a vida, pois tudo isso gera uma espécie de tensão interna que pode nos tornar reféns. Certa vez conheci uma jovem, por exemplo, que possuía uma expectativa tão elevada acerca de possíveis relacionamentos afetivos que todas as vezes que algum rapaz se aproximava dela seu coração ficava tão agitado, em virtude de suas grandes expectativas, que ela acabava sabotando a possível interação. Seu nível de expectativas era tão intenso que ela terminava ficando muito ansiosa e – consciente ou inconscientemente – "assustava" e afastava os rapazes já no primeiro encontro.

Ao se aproximarem dela e perceberem que ela esperava que eles fossem simplesmente "o amor eterno de sua vida", que a amassem para sempre, suprissem a carência de seu pai, fossem carinhosos, leais, prestativos, alegres, companheiros, honestos, trabalhadores, pessoas de iniciativa, atentos aos seus desejos, respeitosos com sua família e uma lista de outras intermináveis qualidades, os rapazes logo se assustavam e não prosseguiam com aquela inicial interação.

As excessivas expectativas deste coração, que tinha um grande desejo de ser feliz e se realizar em seus relacionamentos, geravam uma intensa ansiedade que só prejudicava o processo, fazendo com que ela mesma destruísse muitas de suas possíveis futuras interações. Não que ela não pudesse ter expectativas com relação a um possível namoro, visto que essa é uma realidade natural, mas, no caso dela, o grau de ansiedade e agitação era tão intenso que a levava a despejar todas as suas inquietações e projeções sobre o pretendente já nos primeiros encontros. Isso, sem dúvida, prejudicava muito a dinâmica do conhecimento e do progresso nessas relações.

COMO CONTROLAR E VENCER A ANSIEDADE?

Em meu ponto de vista, *o excesso de expectativas é sempre um percurso que leva à ansiedade e à frustração, por isso moderá-las e adequá-las melhor à realidade será sempre uma postura inteligente,* que poderá nos blindar diante dos muitos apelos da agitação e da ansiedade.

Da mesma forma, outra realidade que pode em nós estartar o gatilho da ansiedade são as frustrações. Quando não conseguimos absorvê-las bem e integrá-las, tudo isso se torna um conteúdo desarmônico dentro de nós que tende a roubar nossa paz e contaminar nossa quietude. Em nosso enredo psíquico e emocional, frustrações não aceitas e superadas tornam-se conteúdo profundamente tóxico, que pode azedar nosso mundo interior e roubar o equilíbrio de nossa vida.

É preciso conhecer-se a partir de dentro, entendendo como tem funcionado nosso universo interior, para, assim, perceber o que precisamos daí retirar. Sem essa faxina interior que nos leva a retirar excessos e redecorar nosso cenário mental e emocional, muito possivelmente não conseguiremos superar os desajustes da ansiedade em nós.

Todavia, além de olharmos para dentro, para aí identificarmos as desarmonias e os desajustes, precisaremos também olhar para fora, para percebermos como anda nossa rotina diária e a forma como administramos nosso tempo e nossas atividades. Uma rotina excessivamente estressante, equacionando um acúmulo de cobranças e atividades com uma abundância desmedida de informações – sem deixar um espaço para o cérebro descansar –, também é uma fonte geradora do desequilíbrio da ansiedade.

Muitas vezes, no desejo de sermos polivalentes e dinâmicos, acabamos assumindo atividades demais, as quais talvez até excedam nossas forças e possibilidades, e por isso acabamos caindo nas garras da ansiedade. Talvez você possa agora estar pensando: "Padre, mas eu preciso manter este ritmo e fazer tudo isso em meu dia, eu preciso viver assim e preciso trabalhar muito...". Confesso que compreendo suas indagações e necessidades, mas, honestamente, pergunto-lhe: "Se você morresse hoje, seu serviço pararia?". Acho que não... Com certeza outra pessoa o faria, ou, o que é pior, talvez até duas ou três pessoas viriam a executá-lo em seu lugar, revelando que o seu ritmo anterior só poderia mesmo ser causa de sobrecarga e enfermidade.

Do que adiantaria você ganhar muito dinheiro e ter um orçamento de sobra, se, em virtude do estresse e da ansiedade, você tivesse um surto e desenvolvesse uma grave doença? O que adiantaria você ter muitos recursos, se viesse a perder sua saúde e prejudicar as coisas que são mais importantes para você?

O mais importante de tudo é você, e nada que faça você se destruir vale a pena nem tem sentido. Se sua rotina está destruindo sua saúde e seus relacionamentos mais importantes, talvez seja a hora de você rever suas prioridades e abrir mão de algumas coisas; caso contrário, você poderá prejudicar-se muito, tornando-se refém da ansiedade e desperdiçando suas energias e seu vigor.

Mais uma vez eu lhe pergunto: "Que sentido teria você cultivar uma rotina estressante – que talvez você hoje esteja vivendo –, se amanhã ou depois você surtasse ou adoecesse, em virtude do estresse e da ansiedade?".

Aqui tem espaço uma breve história que certa vez ouvi, que foi protagonizada por um sábio chinês que veio passar um tempo no Ocidente. Ele morou em Londres por seis meses, e quando retornou ao seu mosteiro, os outros monges lhe perguntaram: "O que você achou dos ocidentais? Como eles são?". Ele respondeu: "Eles são engraçados. Eles gastam toda a sua saúde para ganhar dinheiro, depois, eles gastam todo o dinheiro que conquistaram tentando recuperar a saúde que perderam, mas, geralmente, ela não volta...".

Infelizmente, essa história encontra eco na vida de muitas pessoas que, desmedidamente, perdem o que têm de mais precioso em busca de recursos e, quando conquistam o que desejavam, já não conseguem mais recuperar as preciosas realidades que perderam.

Nenhum sucesso profissional ou acúmulo de dinheiro justifica uma saúde ou uma família destruídas: olhe hoje, com honestidade, para você mesmo e reconheça como sua vida tem funcionado em tais realidades. Perceba o que está em desajuste e aja concretamente, mudando verdadeiramente o que precisa ser mudado, antes que seja tarde.

Não permita que uma rotina com excessos prejudique demasiadamente o seu sono e impeça sua mente de descansar, pois isso irá cobrar de você um preço muito caro ao longo do caminho.

Será realmente imprescindível buscar se conhecer em profundidade, a fim de melhor entender as verdadeiras raízes e estímulos que estão gerando a ansiedade em nós. *Sem este sincero investimento em uma autopercepção, ficaremos sempre na superfície e à margem de nossas reais razões, combatendo sintomas e não as reais causas daquilo que nos faz sofrer.*

Este esforço de se conhecer, aplicado ao ritmo de nossa rotina, será extremamente benéfico para nos revelar caminhos importantes para a superação de nossas desordens e contrariedades. Será, da mesma forma, indispensável percebermos como temos utilizado os modernos meios de interação que a tecnologia nos proporcionou para verificar se um uso insensato de tais realidades não está, de igual modo, na gênese do que tem roubado a qualidade de nossa vida.

Hoje em dia quase todos(as) temos um smartphone ou outro tipo de celular, o que em si é muito positivo. Este aparelho fantástico nos possibilita fazer coisas surpreendentes em muito menos tempo, no entanto, o problema acontece quando não há sabedoria para bem utilizá-lo e nos tornamos reféns de estímulos demasiados (tanto psíquicos como visuais), intensificadores da ansiedade em nós.

Como já afirmei anteriormente, quando o cérebro não encontra espaço para descansar e fica constantemente conectado a uma interatividade sem fim através do celular, corremos um grande risco de cairmos nos "braços" do desequilíbrio. Esses aparelhos muitíssimo versáteis precisam ser usados com inteligência, para que não causem uma verdadeira pane em nosso cérebro.

Hoje se sabe que a iluminação presente no celular, por exemplo, quando em contato com nossos olhos até tarde da noite, pode ativar específicas áreas em nosso cérebro intensificadoras da insônia e da agitação. Este estímulo visual e cerebral faz com que não consigamos nos desligar, tornando-nos acelerados e com um sono ineficaz, que não refaz nossas energias. Será preciso se investigar e se perceber nestes pontos, para adequadamente avaliarmos como estamos utilizando esses meios e se não estamos sendo nós mesmos – por insensatez e indisciplina – os maiores causadores da ansiedade em nosso coração.

Precisamos encontrar uma forma inteligente e harmônica de usar o celular e a internet, estabelecendo alguns limites que nos protejam diante de estímulos excessivos geradores da inquietude. Será necessário desenvolvermos a habilidade de, em algum período do dia, deixar a nossa mente descansar, desligando-se das redes sociais e de informações excessivas. Penso que o período noturno – sobretudo nas horas que precedem o sono – seja um espaço privilegiado para isso.

Precisamos desenvolver a sabedoria e a sensatez para fazer um bom uso destes meios, sem sermos usados ou prejudicados por eles. Sobretudo em nossos relacionamentos, seria muito positivo e salutar criarmos o hábito de deixar o celular "descansar" para podermos conversar e gastar algum tempo junto das pessoas que nos são caras.

Há muitas famílias e muitos relacionamentos que estão sendo diretamente prejudicados pelo uso excessivo do celular. Em tais contextos, o aparelho tem contribuído para uma divisão na família e para que os corações estejam cada vez mais distantes uns dos outros. Em muitos espaços familiares, que deveriam ser lugares de intimidade e interação, o diálogo já não acontece mais, em virtude de todos estarem sempre conectados a tudo, menos uns aos outros.

O problema não está no celular em si, mas na pessoa que o utiliza. O aparelho não é bom nem ruim. Tudo dependerá da sabedoria ou da insensatez de quem o tem nas mãos.

Acredito que, para que a convivência familiar não seja comprometida, devem ser estabelecidos alguns específicos limites no tocante ao uso do smartphone e algumas iniciativas que promovam a interação, tais como:

1) Não usar o celular durante as refeições, mas ser este um espaço de interação e conversa entre os membros da família.

2) Estimular o diálogo nestes momentos (refeições) sem o celular, promovendo uma partilha sobre a vida concreta de cada um(a), sobre como foi o dia e/ou como será o dia seguinte etc.

3) Desenvolver nos filhos e na família o hábito de falar de si e de ouvir o outro, até o ponto disso se tornar uma prática natural.

Essas são iniciativas simples, mas que podem agregar uma comunhão muito significativa à família ao longo do caminho, trazendo mais qualidade e solidez aos relacionamentos e agregando mais quietude e serenidade ao nosso coração.

Enfim, diante de todos os estímulos e riscos apresentados, precisaremos nos esmerar em nos conhecermos verdadeiramente no ponto em que estamos, a fim de descobrirmos quais são as raízes – em nossa mente, genética, relacionamentos, rotina etc. – que estão contribuindo para que nos tornemos pessoas agitadas e ansiosas. Este conhecer-se será profundamente necessário, a fim de que saibamos o que de fato precisa ser modificado em nossa história, e para que realmente realizemos as necessárias mudanças que nos colocarão na estrada da superação, levando-nos a conquistar uma vida com mais equilíbrio e qualidade.

É claro que essa tarefa de se compreender é um tanto desafiante, pois nem sempre será fácil realmente entender o porquê agimos e reagimos como o fazemos. Contudo, para tudo o que acontece dentro de nós, há uma causa específica (ou várias), e para realmente superarmos nossas dificuldades, precisaremos investir em nos compreender, a ponto de sermos capazes de combater as reais posturas que precisam ser melhor direcionadas em nós.

Encerro este capítulo convidando você a fazer comigo uma oração. Peço que você a faça com entrega e fé, acreditando que

COMO CONTROLAR E VENCER A ANSIEDADE?

existem coisas a respeito de nós mesmos que só compreenderemos se Deus concretamente nos revelar. Precisamos muito Dele, sobretudo para entendermos quem somos e qual é a verdadeira dinâmica das realidades que nos atingem e nos fazem sofrer.

Foi Ele quem nos criou e entende como funciona o nosso coração, por isso apenas Ele será capaz de nos revelar a nós mesmos em profundidade.

Rezemos juntos.

Oração

Senhor Deus, entrego sinceramente minha história a Ti. Confio em Teu amor e peço que hoje o Senhor me ajude a conhecer-me em profundidade, chegando às raízes do que me faz sofrer e do que causa ansiedade em mim.
Revela-me a mim mesmo, Senhor. Sou tão frágil que preciso do Senhor até para compreender a mim mesmo. Sei que muitas das ações e reações que tenho hoje têm a sua causa em coisas que vivi em minha história. Talvez eu tenha guardado muita mágoa, ressentimento e sentimentos estragados em mim.
Pode ser que eu não tenha conseguindo lidar com uma frustração ou perda, e tudo isso está gerando uma intensa ansiedade em mim.
Talvez eu não me sinta verdadeiramente amado, e essa busca incessante por aceitação e afeto tem me deixado profundamente agitado(a) e ansioso(a).

PE. ADRIANO ZANDONÁ

Cura minha alma, ó Deus, e preenche toda sede de afeto em mim. Coloca as coisas em ordem nos cenários de meus afetos, mente e emoções.
Entrego-Te todos os meus medos e preocupações, e peço que o Senhor me ensine a lidar com tudo isso.
Dá-me sabedoria e sensatez para usar a internet e o meu celular, e que essas invenções tão belas e preciosas não sejam uma armadilha para mim. Dá-me equilíbrio para usar tudo isso, e que eu sabia cultivar espaços para deixar minha alma e minha mente descansarem. Ensina-me a permitir minhas energias se refazerem, recompondo-me em minhas aptidões e possibilidades.
Sei que não estou sozinho para enfrentar a ansiedade e o que a causa em mim, Senhor. Sei que posso confiar em Ti, que o Senhor me conhece e que está sempre pronto a me conduzir, ajudando-me a viver melhor.
Obrigado por Teu constante carinho e amor para comigo, quero sempre caminhar contigo.
Meu Deus e meu Pai.
Amém.

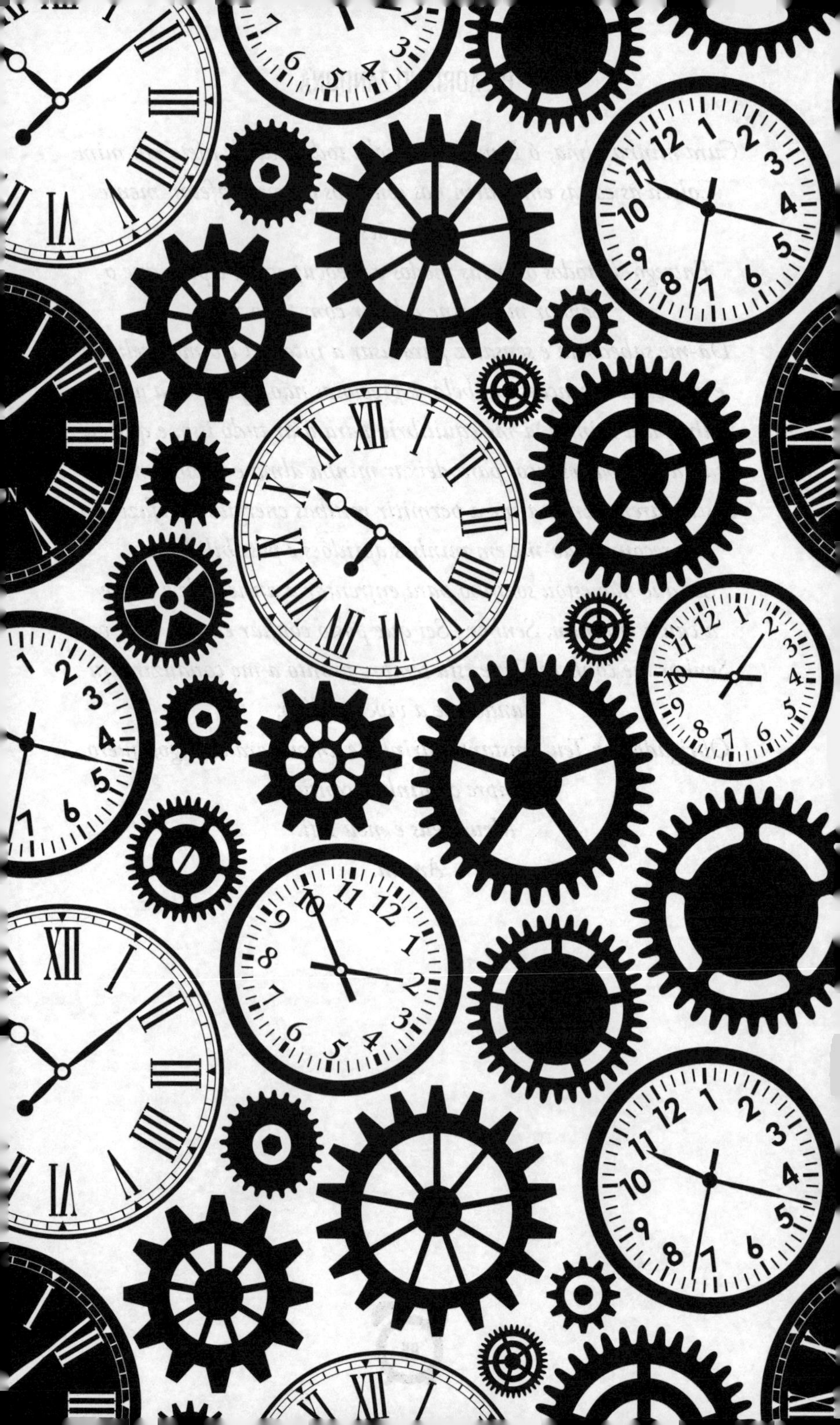

SEGUNDO SEGREDO: RESPEITE-SE

O SEGUNDO SEGREDO PARA COMBATER e superar o mal do século é extremamente intuitivo e lógico. Ele consiste em sabermos nos respeitar no ponto do processo no qual hoje nos encontramos, compreendendo o compasso que nos é próprio nesta dinâmica de transformação.

O que muitas vezes acaba atrapalhando o percurso de superação da ansiedade em nós é a infeliz mania de nos compararmos constantemente com os outros, exigindo que tenhamos em tudo resultados semelhantes a eles – e no mesmo momento em que eles. Todavia, essa é uma prática que aumenta ainda mais a inquietude em nosso coração, roubando-nos a sobriedade de perceber que somos únicos e que o nosso processo é sempre singular.

O infeliz costume de se comparar com os outros atrapalha muito as coisas em nossa dinâmica de superação, pois nos faz exigir de nós mesmos respostas que – em muitas circunstâncias – ainda não somos capazes de oferecer. Cada um tem um ritmo próprio: você tem um compasso peculiar que precisa ser compreendido e respeitado. Os resultados só começarão a aparecer quando você se conscientizar disso, dando o necessário passo de em tudo respeitar o seu próprio processo.

A tempestade que talvez hoje você esteja vivendo vai passar. É claro que vai! É fato que, quando estamos no meio dela, temos dificuldade de enxergar o seu fim, mas não se deixe enganar pela dor e angústia de hoje, ao contrário, caminhe confiante e saiba que você já está superando essa dificuldade e que as coisas já estão acontecendo. Isso é um fato, mas as coisas estão acontecendo dentro de seu ritmo pessoal (é claro).

O seu processo é único, e você não é aquela sua amiga(o) que se livrou da ansiedade – ou de outro problema – em tantos meses. Você tem um jeito único de existir e uma história ímpar que é só sua. Você tem um específico temperamento e um jeito original de sentir e absorver as coisas. Você teve uma criação peculiar, foi atingido(a) por realidades – talvez feridas – muito particulares, e tudo isso construiu a forma como você vive, se relaciona com as pessoas e interpreta as circunstâncias.

Tudo isso precisa ser levado em conta e respeitado, quando se trata de combater os processos de desassossego e ansiedade presentes em nós, ao contrário, estaremos andando em círculos e não alcançaremos resultados exitosos na batalha por nossa transformação.

A comparação excessiva com os outros sempre causa muitos estragos. Sobretudo porque, na maioria das vezes, só nos comparamos com quem está acima de nós e só nos focamos nos resultados positivos que tais pessoas alcançaram, sem entender todo o processo exigido para que essa superação se tornasse possível na vida deles. Este tipo de comparação é sempre imatura, pois, quando percebemos que determinada pessoa tem mais facilidade em uma área na qual não temos, esquecemos que esse ser humano tem – com certeza – mais dificuldade em áreas nas quais tenhamos mais facilidade de lidar.

É sempre assim: não temos os mesmos dons nem os mesmos defeitos que as outras pessoas, nisso somos únicos e originais. Talvez você tenha dificuldade em controlar e equilibrar sua ansiedade, mas pode ser que aquele seu amigo(a) tenha uma tremenda dificuldade para viver seus relacionamentos, sendo uma pessoa instável e imatura que facilmente se deixa dominar afetivamente pelos outros. Pode ser que essa pessoa seja alguém com um temperamento muito passivo – e até sem iniciativas –, sendo, por vezes, indeciso e acomodado, e até por isso, talvez, para ele seja mais fácil lidar com a ansiedade do que para você.

No entanto, quando se trata de avançar e conquistar novas realidades, sendo ousado e inventivo, você consiga resultados dez vezes melhores que os dele(a), e isso precisamente pela energia – e até agitação – presente em seu tipo específico de temperamento.

Enfim, todo mundo tem os seus próprios defeitos e seus peculiares dons, e precisamos compreender e respeitar isso, para, enfim, superarmo-nos e conquistarmos uma sincera realização.

O ato de constantemente se comparar é sempre sinal de infantilidade, pautada em uma compreensão equivocada da vida: seria o mesmo que eu olhar para um grande jogador de futebol e me entristecer por não jogar tão bem como ele, desprezando o fato de que, além de seu talento natural, tal pessoa treina e joga quase todos os dias por décadas, esforçando-se muito e se focando neste tipo de resultado cotidianamente.

Será sempre ausência de sensatez eu me comparar com o resultado positivo de alguém, querendo para mim este tipo de

COMO CONTROLAR E VENCER A ANSIEDADE?

conquista instantaneamente e desprezando o fato de que tal realidade foi construída ao longo de anos através de esforço, perseverança, foco e, em muitos casos, de um dom natural para a coisa (dom este que talvez não seja o meu).

Será sempre uma imatura injustiça eu não levar em conta aquilo que eu sou e o meu processo natural na hora de me comparar com os outros, entristecendo-me por não ter os mesmos resultados.

Você é único(a), e para superar os apelos da ansiedade em sua história, você precisará se interpretar. Neste combate que aqui estamos travando, seu coração precisará levar em conta alguns fatores comportamentais e ambientais que possivelmente o levaram ao seu quadro atual (talvez de intensa ansiedade). Por exemplo, existem pessoas que foram criadas e educadas por mães – ou outros cuidadores(as) – profundamente ansiosas e agitadas, e que aprenderam a fazer todas as coisas através deste viés. Tais corações precisarão racionalizar o próprio processo e respeitá-lo, compreendendo a necessidade de muita paciência consigo mesmos(as) para poderem se equilibrar. Tais seres humanos necessitarão desenvolver o entendimento de que lhes será requerido trilhar um verdadeiro percurso de reeducação dos desejos e de transformação da própria forma de pensar. Este tipo de metamorfose levará um pouco mais de tempo e exigirá um tanto mais de dedicação, visto que se trata de algo que está enraizado na estrutura do comportamento da pessoa em questão.

Em casos iguais a estes, será necessário muito respeito e empatia para com o próprio processo e muita compaixão na hora de compreender e avaliar a si mesmo(a). De igual modo, será extremamente necessário a pessoa em questão retirar os estímulos excessivos que possam estar contribuindo para o aumento de sua ansiedade, visto que esta já é uma característica natural e que não necessita ser ainda mais estimulada.

Seres humanos que já se conscientizaram de tal realidade precisarão, por exemplo, moderar a sua ingestão diária de cafeína e outros estimulantes do sistema nervoso, moderando também o contato com realidades que estimulem – visual, emocional e psicologicamente – a ansiedade e a agitação no próprio coração. O processo desses indivíduos é diferente e exigirá uma maior atenção nos detalhes e nas pequenas escolhas de cada dia, caso contrário, o êxito será dificilmente alcançado.

Este processo – sem dúvida – será desafiante, mas possível de ser concretizado. O coração que decide lutar do jeito certo sempre poderá alcançar a vitória em seu caminho, conquistando resultados maravilhosos de superação, mas só conquistará tal realidade se souber agir com sabedoria, fazendo a própria parte e confiando sempre em Deus – que nunca falha.

Há pessoas que possuem um natural temperamento que as conduz a uma forma ansiosa de viver e enfrentar as coisas, corações que parecem que já nasceram acelerados e vivem – quase que cotidianamente – em um contínuo estado de alerta e agitação. Corações assim precisarão entender que o seu processo é diferente e que ele precisa ser respeitado em seu ritmo e contextos naturais.

Em outro extremo, tais indivíduos precisarão também estar atentos para não se tornarem verdadeiros "viciados" em adrenalina, fazendo tudo de forma acelerada e agitada (assumindo a ansiedade como modo de vida) e buscando sempre resultados instantâneos de tudo e de todos.

COMO CONTROLAR E VENCER A ANSIEDADE?

Pessoas que possuem essas características, geralmente, têm um grande potencial de realização, o que em si é muito positivo. No entanto, é comum perceber que tais indivíduos, em muitos casos, acabam se perdendo em algum ponto de seu processo, não conseguindo se focar nem administrar bem essa torrente de energia interior, e por isso se tornam reféns de processos sórdidos de desequilíbrio da ansiedade.

Tais corações precisarão interpretar o próprio processo com muito respeito e paciência, para conseguirem devidamente ordenar aquilo que está desajustado em seu interior. Nesses casos, aquilo que estimula a ansiedade também precisará ser moderado, a fim de que a pessoa em questão possa se direcionar com mais equilíbrio, sem ser arrastada por uma corrente de agitação e impulsividade.

Veja bem: a ansiedade presente em tais corações, por sua própria constituição e temperamento, não é um mal, mas é, de fato, uma característica pessoal que pode – se for bem conduzida – se tornar uma grande bênção. Tais pessoas geralmente são determinadas e possuem grande potencial para realizar projetos e implementar mudanças. Contudo, para que tal característica não se torne um gatilho de autodestruição, o coração em questão precisará conduzir bem tal realidade, direcionando sua energia e seu potencial, de forma inteligente e sensata, em direção de metas sábias e agregadoras de transformação.

Acontece, também, que, muitas vezes, nesta dinâmica de superar as desordens da ansiedade, encontramos dificuldade de nos respeitar, pelo fato de nutrirmos inúmeras fantasias acerca do que realmente somos. Este acaba sendo um inconsciente sistema de autodefesa motivado por um infeliz orgulho pessoal, que nos faz criar uma imagem onipotente de nós mesmos, através da qual enxergamos os problemas sempre fora, nunca dentro de nós.

Acabamos criando fantasias de compensação para esconder de nós mesmos nossos defeitos e frustrações, e, o que é pior, acabamos acreditando nessas mentiras. *É preciso devidamente se encarar e perceber os desequilíbrios que já existem em nós: não somos perfeitos nem temos a obrigação de ser, e reconhecer isso nos levará a um alto patamar de possibilidades para superarmos nossas mazelas, trabalhando para curar e fortalecer nossos pontos mais frágeis.*

Enfim, toda a sua dinâmica enquanto ser humano precisará ser considerada e devidamente respeitada, para que, de fato, você tenha êxito no percurso de se equilibrar, superando os desajustes da ansiedade. Sem essa estima para consigo e sem um acolhimento maduro do próprio processo – no ponto em que ele está –, será muito difícil alcançar êxito na dinâmica de combater o que nos desestrutura, a fim de vivermos de forma mais integrada e feliz.

Lutemos para nos enxergar de forma mais ampla, implementando em nossa história a proposta deste segundo segredo: com certeza isso nos acrescentará muito, fazendo-nos amadurecer e nos levando muito além dos limites e desajustes que antes achávamos invencíveis.

Façamos juntos essa oração:

COMO CONTROLAR E VENCER A ANSIEDADE?

Oração

Senhor, peço Tua ajuda neste momento, para que eu seja capaz de me acolher e me respeitar devidamente. Liberta-me de todo excesso de autocobrança, que faz com que eu me agite e as coisas se compliquem ainda mais dentro de mim. Harmoniza minhas emoções e a maneira como eu me vejo, e dá-me a graça de eu me amar e me enxergar com misericórdia.

Quero me interpretar e me respeitar como o Senhor o faz, e peço Teu auxílio me capacitando para isso.

Sei que o Teu poder é capaz de me transformar e mudar todas as coisas em minha vida, dando-me sabedoria para eu administrar tudo o que acontece dentro e fora de mim. Cura-me agora com Teu amor, e liberta-me dos efeitos da agitação e da ansiedade. Professo que confio em Ti e que contigo serei capaz de superar todos os desequilíbrios e medos que hoje me fazem sofrer.

Obrigado por Teu amor e bondade em minha vida.

Amém.

TERCEIRO SEGREDO: AJA DA MANEIRA CERTA

CHEGAMOS AGORA AO NOSSO terceiro segredo, sobre o qual discorreremos no intuito de nos auxiliar a controlar e superar a ansiedade. Ele consiste em saber adotar algumas atitudes inteligentes que poderão nos empoderar para combatermos o mal do século.

Além de desenvolvermos a autoempatia de sabermos nos respeitar, será muitíssimo necessário aprendermos a agir de maneira mais inteligente, construindo escolhas que nos levem a resultados mais positivos na arte de conquistar a sensatez e uma verdadeira alegria.

Agir de maneira sensata e refletida é essencial para superar as inquietações exageradas, pois através de tais escolhas podemos construir um estilo de vida que nos deixe menos vulneráveis diante das múltiplas causas que trabalham para acentuar a ansiedade em nós. *Não adianta apenas evitar o mal, é preciso aprender a agir fazendo o bem, com atitudes que colidam com nossos desequilíbrios e os vençam, gerando resultados mais positivos e saudáveis em nossa vida.*

COMO CONTROLAR E VENCER A ANSIEDADE?

Para auxiliá-lo neste ponto do processo, apresentarei, a partir de agora, 14 atitudes muitíssimo importantes a serem aqui implementadas, que poderão ajudar muito na tarefa de combater e superar a ansiedade. Peço que você as leia com atenção e reflita sobre elas, procurando incorporá-las à estrutura do seu comportamento naquilo que você vive de mais cotidiano.

Este será um ponto prático que exigirá de nós movimento e adesão, pois a proposta de tais atitudes nos retira do campo da reflexão e nos insere na ação, possibilitando-nos construir escolhas que melhor nos ajudem a administrar a ansiedade e seus excedentes.

1) Eduque-se para dominar sua imaginação e equilibrar seu "senso dramático".

A imaginação tem uma função muito importante, ela é a responsável por nos acrescentar uma criatividade inventiva que nos motiva na conquista de nossos objetivos. Sua atividade contribui diretamente para que sejamos capazes de planejar nossa vida e sonhar, o que em si é muito bom. Mas, quando não equilibramos e educamos tal realidade, ela pode se tornar uma força desordenada que age contra nós.

A imaginação desajustada, muitas vezes, estará na base da ansiedade, visto que nos levará a aumentar e a dramatizar demais as situações, enxergando problemas e dificuldades onde eles, de fato, não existem.

Muitas vezes, diante de um problema real ou da expectativa de algo que surgirá, nossa imaginação nos leva a criar obstáculos que não são reais e que nos acrescentam inquietação inutilmente.

Em tais circunstâncias, o que mais nos fará sofrer não será tanto os concretos problemas, mas a nossa imaginação desajustada, que criará um mundo fictício, levando-nos a dramatizar demais as coisas.

A imaginação é algo muito bom, mas que precisa sempre ser submetida ao crivo da razão e da verdade. Não podemos permitir que uma imaginação insensata nos faça sofrer em vão, aumentado as realidades e criando inquietudes onde elas não precisam existir. Afinal, nem tudo o que imaginamos corresponde à verdade.

Normalmente somos capazes de imaginar cenários que poderíamos classificar numa escala que vai dos mais favoráveis aos menos. No entanto, há pessoas que só são capazes de imaginar a extremidade baixa da escala, cultivando uma imaginação negativa e que as leva a criar enredos de constantes desastres e dramaticidade.

Nossa criatividade precisa ser usada para nosso bem, e não para nos agitar e desequilibrar. Por isso será sempre necessário, em momentos de estresse e inquietação, aprender a parar e questionar a própria imaginação e suas elucubrações. Nem tudo o que imaginamos é verdade, e precisamos aprender a questionar tais realidades para não agitar a nós mesmos e as pessoas em vão.

Há poucos dias, ouvi uma palestra de um grande especialista na área de combate à ansiedade (um médico renomado) que falava que a maior parte do sofrimento que as pessoas enfrentam é somente fictício, e, portanto, não real. Ou seja, muitos desses problemas e monstros acontecem apenas na cabeça das pessoas, em virtude de seus medos, ansiedade e imaginação excessivamente dramática, e nem sempre possuem raiz nos concretos fatos que a pessoa está enfrentando.

COMO CONTROLAR E VENCER A ANSIEDADE?

Será sempre necessário ordenar a própria imaginação, para que não soframos por excesso de drama e por suposições que não possuem base na verdade do que nos acontece. Se gastarmos energias e tempo demais em sofrimentos apenas imaginários, sustentados por suposições ansiosas, correremos o risco de estarmos já esgotados quando chegarem os sofrimentos reais, não tendo mais recursos nem forças para enfrentá-los. Por isso, equilibrar a própria imaginação e senso dramático, tornando-nos mais sensatos e sóbrios, será essencial, a fim de combatermos os descompassos da ansiedade em nós e não gastarmos nossas energias em vão.

2) Aprenda a racionalizar suas emoções.

Quando enfrentamos estados de ansiedade, é muito difícil conseguirmos respirar e pensar com clareza. A mente fica nublada e as emoções nos dominam. Parar e procurar calmamente racionalizar as emoções pode mudar o rumo deste processo, modificando a forma como as coisas acontecem em nosso cérebro e emoções.

Neste processo, a respiração será essencial, pois a primeira coisa que a ansiedade rouba de nós é a capacidade de respirar bem, fazendo com que não oxigenemos devidamente nosso cérebro e assim não consigamos nos acalmar. Diante de picos de ansiedade, é preciso parar e respirar, sentindo o próprio corpo e a própria respiração. É preciso respirar com inteireza, completando o ciclo da respiração.

Respirando bem (puxando o ar e o soltando bem devagar), seremos capazes de não nos deixar levar pela onda de agitação, tornando-nos, assim, hábeis para racionalizar nossas emoções. Portanto, diante de picos de ansiedade, pare, respire e procure racionalizar tudo o que você está sentindo naquele momento, pois nem tudo o que você – emocionalmente – está sentido corresponderá à verdade. O medo, a angústia, a tristeza, os maus pressentimentos que talvez você esteja sentindo precisam ser racionalizados, pois eles nem sempre têm fundamento e, em muitas circunstâncias, são apenas uma percepção equivocada de circunstâncias acentuadas por nossa ansiedade.

Para isso, pense agora numa escala de 1 a 10 e dê um valor ao seu próprio medo e a outros sentimentos que talvez você hoje esteja vivendo. Fazendo isso, seu cérebro poderá refletir melhor sobre a veracidade disso que você está sentindo, posicionando-se com mais propriedade diante de possíveis desajustes emocionais. Agindo assim, com o auxílio mais apurado de sua razão e não apenas arrastado(a) pela agitação da ansiedade, você conseguirá se posicionar melhor diante do que o(a) inquieta, sem assumir a mentira como verdade na hora de lidar com seus próprios impulsos e emoções.

Para superar os descompassos da ansiedade, será essencial saber racionalizar as próprias emoções, sem se deixar enganar e/ou arrastar por elas.

3) Procure preparar-se para as situações que causam ansiedade em você.

Em muitas ocasiões, temos consciência das realidades que podem nos roubar o equilíbrio e nos deixar ansiosos(as), porque já passamos por elas. Nesses casos, será necessário saber preparar-se para não se tornar novamente vítima da ansiedade.

Quando você começar a sofrer as primeiras respostas físicas da ansiedade em relação a um evento que ainda não aconteceu, é um sinal de que você precisa parar e se preparar para enfrentá-lo, não deixando que a inquietude tome conta de sua mente e o(a) desestruture quando tais eventos se iniciarem.

Talvez seja hora de exercitar uma respiração mais profunda, calma e completa, quem sabe seja o momento de começar a rezar e falar com Deus, de conversar com alguém de confiança, enfim, nesta hora será necessário encontrar algum recurso interno que o(a) ajude a se preparar para este impacto, a fim de que você esteja mais forte e consciente quando essa circunstância realmente alcançá-lo(a).

4) Não sofra por aquilo que você não pode mudar.

Neste caminho de ascendência e superação, será essencial cultivar a sabedoria para compreender o que podemos controlar e/ou mudar e o que não podemos.

Existem realidades sobre as quais exerceremos alguma forma de domínio, podendo alterá-las e melhor conduzi-las. Todavia, é verdade que existem coisas que não dependem de nós, as quais não podemos objetivamente controlar nem alterar. Diante dessas últimas, precisaremos cultivar a liberdade interior de sabermos nos desprender, entendendo que – como expressei anteriormente – o que está acima de nossas forças não nos pertence.

Será sabedoria não sofrer por aquilo que não podemos mudar, isso nos poupará o desgaste de muita energia emocional e psíquica e nos levará a lidar melhor com aquilo que gera ansiedade em nós. Será preciso buscar uma forma de conviver com tais realidades harmonicamente, aceitando-as, sem desgastarmos a nós mesmos por essas complexas circunstâncias, que não poderão ser alteradas por nosso esforço ou preocupação.

5) Perdoe.

Outra atitude essencial para quem deseja combater os apelos da ansiedade é o esforço de buscar passar a limpo a própria história, perdoando a si mesmo e aos outros pelas realidades que pesam e oprimem o próprio coração.

As mágoas que guardamos em relação a nós mesmos e aos demais acabam sendo fonte de ansiedade e inquietação para nossa alma, por isso lutar para perdoar e compreender a si e aos outros como "dignos de misericórdia" será uma postura fundamental para superar focos internos de intranquilidade e agitação.

Quando estamos sóbrios e sem mágoas para interpretar a nós mesmos e os demais, as coisas que vêm de fora nos atingem bem menos, e conseguimos controlar com muito mais eficácia nossa mente e nossas sensações. Quando não conseguimos perdoar, acabamos nos tornando facilmente sugestionáveis à autossabotagem, favorecendo – inconscientemente – realidades que não contribuem para o nosso verdadeiro bem.

Perdoar a si mesmo e aos outros será primordial para verdadeiramente limparmos nosso universo interior e melhor controlarmos os possíveis focos de tensão e ansiedade dentro de nós.

6) Procure reduzir seu estresse diário.

Pessoas com tendência à ansiedade precisam buscar meios de reduzir o seu estresse diário, e existem diversas formas de se fazer isso. Para quem fica estressado com mais facilidade, sugiro o cultivo de hábitos que ajudem a canalizar melhor o estresse, tais como exercícios físicos regulares, boas leituras e um período diário (ainda que sejam apenas 15 minutos) de meditação e oração.

Será preciso também lutar para evitar as situações que sabemos que nos gerarão estresse, tais como: discussões infrutíferas, determinados horários no trânsito (quando isso é possível), certos tipos de filmes, músicas, bebidas, assuntos etc. Tudo isso contribuirá significativamente para diminuirmos os descompassos da ansiedade em nosso coração.

7) Reserve, todos os dias, algum tempo para se cuidar.

Sei que em nossa rotina corrida e exigente nem sempre é fácil conseguirmos tempo para adequadamente nos cuidarmos. Todavia, reservar algum tempo do dia para você, no qual você possa se escutar em suas reais necessidades, pode contribuir enormemente para o controle de sua ansiedade diária.

Mesmo que não seja todo o tempo que você gostaria, procure reservar um momento para você em algum espaço do dia, para fazer alguma coisa da qual você realmente goste e que o reconecte com a sua genuína identidade. Saber olhar para si, cuidando um pouco mais da própria vida e daquilo que realmente nos faz bem, pode nos ajudar muitíssimo na arte de reconquistar nossa mente e nossas emoções, libertando-nos dos desassossegos e das preocupações excessivas.

Concentre-se em dedicar um pouco de tempo e energia a você mesmo(a) todos os dias, e tenha a certeza de que isso o ajudará muito e fará com que você ofereça uma presença mais centrada e com mais qualidade àqueles que contigo dividem a vida.

8) Esforce-se para estar com quem você ama.

A convivência com pessoas queridas da família, amigos e conhecidos com os quais se tenha afinidade faz toda diferença quando queremos equilibrar as coisas dentro de nós. A companhia de quem amamos é fundamental para nossa harmonia emocional, pois contribui qualitativamente para que estejamos mais calmos e menos ansiosos.

9) Cultive – quando possível – momentos de ócio criativo.

Outra atitude valiosa na tarefa para vencermos nossas desarmonias será o cultivo do chamado "ócio criativo". Esse conceito nasceu na antiga Grécia, onde os filósofos e pensadores da época defendiam o direito de deixar a mente descansar por alguns espaços do dia, sem enchê-la com muitas ocupações e cobranças. Eles defendiam o direito de ficar algum tempo sem fazer nada, sem se preocupar excessivamente com alguma tarefa, para que assim a mente pudesse trabalhar, gerando ideias novas que não estivessem viciadas no automático.

Muitas vezes temos mesmo muitas atividades para fazer e precisamos realizá-las, isso é um fato. Contudo, em muitas circunstâncias, parece que nossa mente acabou se viciando no ativismo e no excesso de informações, não sabendo nunca descansar nem ficar livre, deixando apenas o pensamento acontecer e as ideias surgirem. Parece que, muitos de nós, acabamos nos viciando tanto em estar sempre fazendo algo que, quando não temos realmente nada para fazer, terminamos inventando inúmeras atividades para nos manter agitados e ansiosos.

Existem pessoas que supostamente se viciaram em estar sempre correndo, e não se permitem parar e simplesmente não fazer nada. Sei que nem sempre isso é possível, como sei também que nem sempre isso será impossível. Se conseguirmos viver momentos de ócio criativo pelo menos uma vez por semana, já nos ajudará muito e contribuirá para que nossa mente descanse e se liberte de padrões ansiosos.

10) Mantenha seu foco de atenção no presente.

Quando nossa mente está dedicada integralmente ao momento atual, temos uma maior capacidade de análise, julgamento e ação, portanto, esta é uma boa forma de controlar a ansiedade. Quando a mente passeia aleatoriamente entre passado e futuro, ficando aprisionada a coisas do passado, ou excessivamente apreensiva por realidades relacionadas ao futuro, gastamos muita energia em vão e nos tornamos – potencialmente – mais descompassados e ansiosos.

Focar-se no presente e procurar vivê-lo com inteireza é uma eficaz estratégia para nos tornarmos menos ansiosos e mais equilibrados.

11) Seja mais organizado.

Muitas vezes a ansiedade desordenada é fruto de um estilo de vida desorganizado e sempre atrasado, que vai acumulando e embolando as coisas, fazendo com que a pessoa em questão realmente "se enrole" diante de suas tarefas cotidianas e por isso tenha que fazer tudo correndo e com agitação.

Quem vive na bagunça gasta tempo demais para achar o que precisa, acumula coisas que não usa e assim dificulta o próprio bem-estar, criando, com isso, sentimentos de inadequação e ansiedade. Trabalhar, estudar e viver de forma minimamente organizada ajuda no equilíbrio emocional e no controle da ansiedade, pois a pessoa consegue se situar melhor diante de suas tarefas e necessidades, sem ser engolida por um turbilhão de emoções e atitudes atropeladas.

Além disso, pessoas com uma organização maior do seu tempo conseguem aproveitá-lo melhor, o que reduz muitos dos fatores causadores de ansiedade. Por isso é preciso tentar se programar e organizar, não se permitindo enrolar e confundir por uma rotina pautada na indisciplina.

12) Procure cuidar bem do seu momento antes de dormir.

Este é um ponto essencial. Evite ações que levam à agitação, à preocupação e ao desgaste em seu momento anterior ao sono. Nem sempre podemos prever o que pode acontecer pouco antes de dormir, mas naquilo que depende de nós, devemos fazer bem feito. Procure conversar assuntos mais sérios fora do horário de ir para a cama. Tente por um freio mental em pensamentos de tomada de decisão em momentos de relaxamento, como o momento que precede a ida para a cama.

Procurar mudar todas as coisas da vida dentro de sua cabeça na hora de ir dormir só gerará ansiedade e prejudicará a qualidade do seu sono, por isso cuide bem deste momento e procure ir se desligando aos poucos.

13) Reze sempre.

Esta é, em meu ponto de vista, a atitude mais importante a ser aqui desenvolvida.

A oração, além de ser um fantástico momento de diálogo e interação com Deus, é um verdadeiro calmante para a alma, e por isso um remédio muitíssimo eficaz, através do qual podemos controlar a ansiedade. Além de, como dizia São Pio de Pietrelcina, "fazer desaparecer a distância entre o ser humano e Deus", a oração também nos reconecta com nós mesmos, levando-nos novamente a assumir e a controlar nosso mundo interior.

Afirmou Santo Agostinho: "Vive bem quem reza bem", e Santo Afonso Maria de Ligório completou: "Quem reza se salva, quem não reza se perde". Como podemos perceber, a oração é realidade fundamental para nossa própria salvação e nosso crescimento pessoal, e através dela nos tornamos capazes de superar inúmeras realidades que não venceríamos de outras formas.

Para nos tornarmos capazes de controlar e vencer uma ansiedade desajustada, precisaremos aprender a rezar sempre, e a rezar bem. A oração precisa ser uma prioridade na vida de quem quer realmente amadurecer e ser feliz, e ela precisa irremediavelmente fazer parte de nossos hábitos cotidianos.

São Pio de Pietrelcina também afirmou que "o melhor conforto é aquele que vem da oração". Acredito profundamente nisso, pois tenho percebido que muitas vezes os desequilíbrios se tornam tão intensos dentro de nós, e a velocidade das informações e atividades nos tiram tanto do equilíbrio de nossa vida que somente Deus, através da oração, poderá nos confortar e nos devolver a quietude.

Existem dificuldades que não conseguiremos superar e vencer sozinhos. Isso é um fato! Há realidades que somente Deus poderá transformar e curar dentro de nós, e, apenas por nossas próprias forças, não teremos os recursos necessários para reagir e vencer tais realidades.

Quando rezamos, damos a Deus a oportunidade de vencer em nós, organizando nosso bagunçado mundo interior e colocando cada coisa em seu devido lugar. Através da oração, Deus nos salva a cada dia, e por meio dela, Ele pode nos retirar do labirinto no qual a ansiedade nos introduziu, o qual por nós mesmos não conseguiríamos sequer enxergar ou superar.

Quando rezamos e falamos com Deus, nossa alma reencontra sua paz. Quando colocamos Deus no centro de nossa vida, através da oração, podemos encontrar recursos para nos permitir por Ele conduzir e acalmar. Ele, que é todo poderoso, pode nos curar acessando as causas profundas que nos levaram à ansiedade. Talvez de outras maneiras essas raízes nunca pudessem ser devidamente alcançadas e curadas, mas, quando rezamos, Deus pode atingir e transformar todas essas realidades, curando nossa vida e nos libertando de dentro para fora.

É preciso insistir em uma verdadeira "vida de oração". Faz-se necessário separar um tempo para isso todos os dias, falando

COMO CONTROLAR E VENCER A ANSIEDADE?

com Deus, agradecendo-O e, sobretudo, escutando a Sua voz. É muito salutar rezar meditando a Bíblia em um espaço de tempo todos os dias, deixando que essa divina Palavra crie raízes em nossa alma e em nosso coração.

De todos os recursos aqui apresentados, este é o mais profundo e eficaz, capaz de realmente nos ajudar a superar nossas fragilidades, controlando e vencendo a ansiedade desajustada em nós. Esforcemo-nos para bem realizá-lo todos os dias, visto que essa é uma atitude essencial para nossa cura, nosso equilíbrio e nossa salvação.

14) Aceite que, em alguma medida, a incerteza sempre existirá.

Não é possível prever os fatos ou ter garantia de que tudo sairá exatamente do jeito que você espera. Passar horas e horas ansioso(a) não fará diferença alguma no resultado.

Portanto, procure racionalizar isso e não dar espaço na sua mente a pensamentos como: "Talvez eu encontre uma solução", "Não quero ser surpreendido", "Não quero esquecer alguma coisa", entre outros. Essas preocupações apenas impedirão que você aproveite as coisas boas que tem no momento presente.

Muitas vezes, não conseguiremos dominar ou controlar isso sozinhos e, mais uma vez, precisaremos contar com o instrumental da oração, que nos possibilitará ser atingidos pela força e presença divina, que é maior que nossas fraquezas e pode nos levar além de nossos limites.

Enfim, essas são atitudes simples e possíveis que proponho como parte de nossa estratégia; talvez você até já as conheça ou já tenha tentado algumas delas. Elas não são os únicos meios de combater os descompassos da ansiedade, mas garanto que, se você procurar segui-las com afinco e determinação, elas muito ajudarão na concretização desta tarefa, levando-o a se controlar melhor e a administrar com mais êxito os gatilhos da ansiedade em sua história e em seu coração.

Convido você a prosseguirmos nosso percurso construindo e executando esta estratégia de combate aos descompassos ansiosos, fazendo a nossa parte e percebendo que Deus está sempre disposto a nos ajudar neste trajeto de superação.

Façamos juntos esta oração.

Oração

Senhor, peço Teu socorro e a ação de Teu espírito sobre mim neste momento. Inspira-me nas ações que eu devo realizar e não me deixe ser refém da indisciplina e da impulsividade.
Quero agir da maneira certa, Senhor, sem esperar que tudo caia do céu. Dá-me força e foco, para eu realizar no hoje ações que me levem a vencer a ansiedade em minha história e em meu coração. Confio em Ti e entrego-Te todas as minhas preocupações e o que me causa inquietação.
Faz-me mais forte e resiliente para enfrentar as dificuldades de cada dia, e me ensina a descansar e a confiar em Ti.
Sei que o Senhor está comigo e que está cuidando de todas as coisas. Obrigado por Tua presença e por Teu amor constantes em minha história.
Amém.

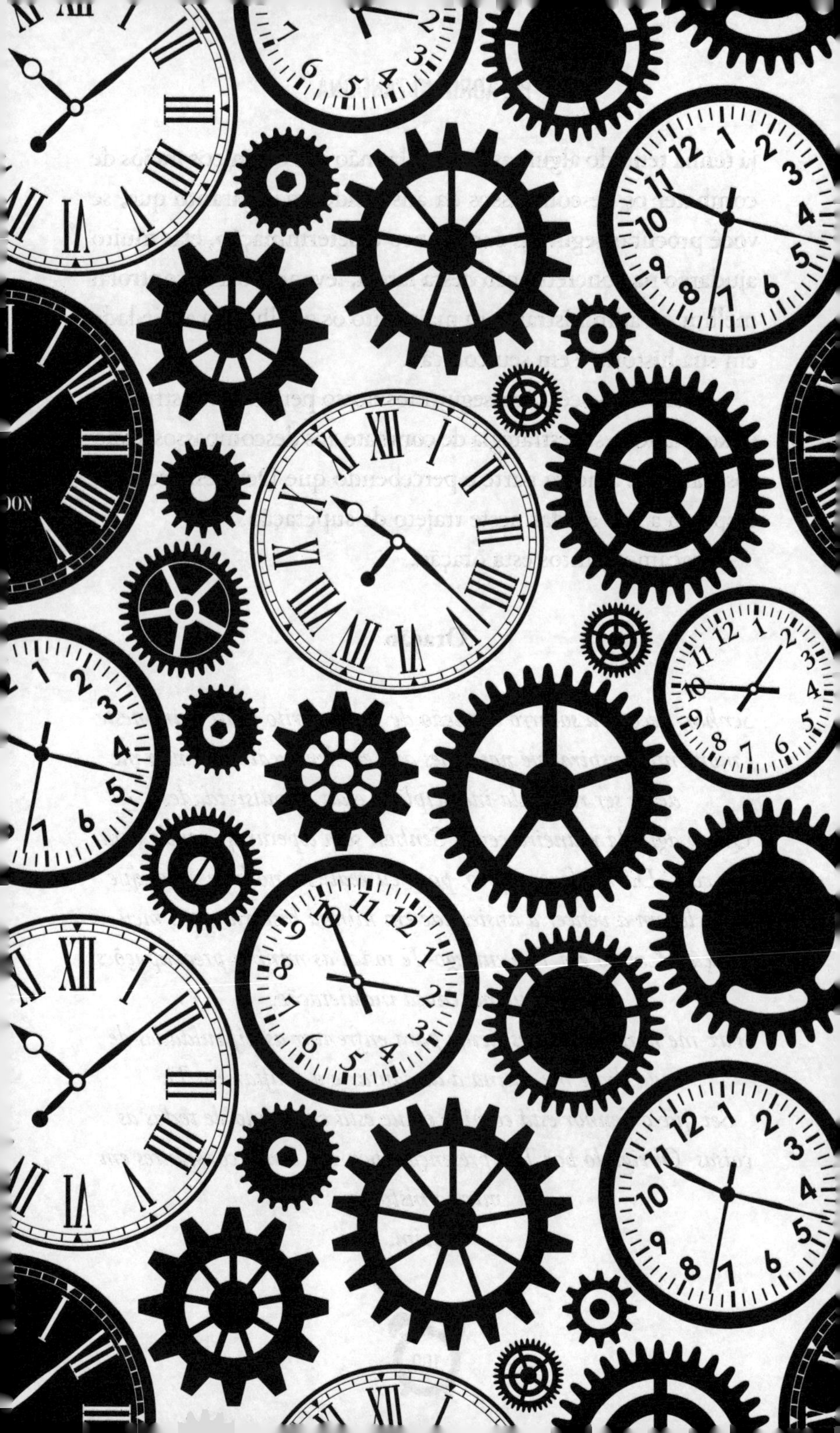

QUARTO SEGREDO: MUDE O FOCO

"Deus não fez tudo num só dia; o que me faz pensar que eu possa?"
(William Shakespeare)

CHEGAMOS AO QUARTO SEGREDO. Ele nos convidará a posturas muito objetivas na forma como enfrentamos nossas tensões, levando-nos a uma abordagem mais sapiente das causas que em nós geram a ansiedade. Sua aplicabilidade consistirá na simples e decidida atitude de sabermos mudar o foco.

Uma coisa é fato: *o mundo não vai andar mais rápido por causa dos ansiosos*. Algumas coisas poderemos até apressar, mas a dinâmica natural de quase todas as realidades possui um ciclo específico que não se pode alterar, e diante disso precisaremos nos render paulatinamente.

A ansiedade de alguém para estar mais magro(a) no verão, por exemplo, não vai fazer que tal pessoa perca 10 quilos em 2 dias. A ansiedade de querer que a sexta-feira chegue logo não vai fazer a semana passar direto da segunda para a sexta-feira. Não adianta esperar o contrário, pois a semana vai cumprir todos os

COMO CONTROLAR E VENCER A ANSIEDADE?

seus dias, seguindo a sina da dinâmica que lhe é própria. Uma semente que plantamos ontem não vai se tornar uma árvore hoje somente porque estamos ansiosos para que isso aconteça.

Tudo – na vida humana e na natureza – possui o seu ciclo e o seu tempo, e a isso será preciso sempre reconhecer. Não nos resta outra saída: precisaremos aprender a lidar com nossa ansiedade, desenvolvendo uma feliz estratégia que nos permita não sermos consumidos pela agitação. Ao contrário, viveremos sempre inquietos e infelizes e seremos negativamente afetados em nosso comportamento e na maneira como nos relacionamos com as pessoas.

Quando o fluxo de ansiedade se desordena em nós, ele nos torna descompensados e pessoas difíceis de se conviver. Este desequilíbrio nos deixa chatos e inquietos, presos aos nossos "ritos" na realização das mais simples tarefas e repetindo as informações demasiadamente. Quando somos atingidos por este desajuste ansioso, tendemos a nos tornarmos mais infantis e egocêntricos, querendo que tudo aconteça milimetricamente do nosso jeito, no nosso tempo e segundo os nossos "ritos". Isso vai, gradativamente, cansando quem convive conosco e afastando as pessoas de nós.

Será sabedoria de nossa parte desenvolver um jeito mais inteligente de lidar com nós mesmos, encontrando instrumentais que nos ajudem a crescer, sem permanecermos fixados em comportamentos imaturos. Se não reagimos e nos comportamos sempre de maneira insensata, acabaremos desgastando e ferindo as pessoas que deveríamos mais amar.

Existe, como já refletimos, uma ansiedade patológica – manifestada em concretos transtornos – que precisa ser tratada de maneira mais intensiva, com acompanhamento médico e até com medicação. No entanto, quero aqui me referir a uma ansiedade comum e cotidiana que não chegou a ser uma enfermidade ou transtorno, mas que tende a nos infantilizar, tornando-nos egoístas, impulsivos e sempre dominados pela própria vontade: reféns de suas inconstantes e turbulentas emoções.

Este tipo de ansiedade deve ser enfrentada com atitudes conscientes que visem a combater os excessos e equilibrar a vida de cada dia, acrescentando mais sensatez aos próprios passos e às próprias escolhas.

Pessoas que agem impulsionadas pela insensatez da inquietação excessiva acabam complicando situações simples, criando verdadeiras "tempestades em copo d'água".

Sei que muitas vezes será muito difícil se controlar diante daquilo que aciona o gatilho da ansiedade em nós. Por vezes, será mesmo penoso esperar por algo que desejamos muito, e, nesses momentos, a ansiedade acabará acelerando nosso ritmo interno e furtando um pouco de nossa sobriedade. Existirão picos de agitação que são compreensíveis e comuns, porém não podemos permitir que eles aconteçam a cada 3 minutos, pois, se assim o for, eles controlarão nossas ações e reações, influenciando negativamente nossa vida e nossos relacionamentos.

Se não conseguimos lidar bem com nós mesmos neste processo, podemos cair na mesma armadilha constatada pelo pensador francês Michel de Montaigne. Ele foi um grande político e intelectual, alguém muito capaz e preparado, mas que, no final de seus dias, teve que – com sincero pesar – reconhecer: "Minha vida sempre foi cheia de problemas e 'desgraças terríveis', mas a maioria deles nunca aconteceu...". Ao olhar

COMO CONTROLAR E VENCER A ANSIEDADE?

para trás, Montaigne percebeu o quanto ele próprio havia lhe causado um sofrimento infrutífero pelo fato de não ter sabido administrar sua ansiedade. Michel constatou que seu desajuste ansioso sempre o fez estar apreensivo com relação ao amanhã, criando múltiplos cenários hipotéticos e sofrendo pela infeliz atitude de complicar as coisas simples e comuns.

Essa inventividade desajustada que acometeu o pensador francês também é presente em muitos de nós, que aumentamos demais nossa carga de sofrimento em virtude de, por vezes, estarmos consumidos por percepções distorcidas e complicadas que nos deixam bem viver o momento presente.

Diante do enredo acima descrito, que tem encarcerado muitos corações em uma interpretação neurótica da existência, encontra lugar a abordagem acerca do quarto segredo que aqui apresento. Muitos estudiosos e terapeutas têm concluído que, diante de quadros de ansiedade – intensos ou não –, uma estratégia eficaz para reequilibrar-se e superar tal realidade é a simples atitude de saber mudar o foco.

Em muitas circunstâncias, o que estará na gênese de nossa ansiedade é um problema ou uma situação conflitiva com a qual não estamos sabendo lidar. Em outros momentos, o que nos agitará será a preocupação com algo que estamos aguardando muito, ou, ainda, a tensão diante de uma notícia que estamos esperando receber. *Independente de qual seja a raiz, a atitude de saber mudar o foco diante do motivo que nos desconcentra será essencial para que tenhamos êxito no ofício de combater os desequilíbrios da ansiedade.*

Por isso está sendo cada vez mais receitado, por exemplo, o emprego de atividade física como um instrumento privilegiado para combater a ansiedade descompensada, pois o exercício, além de contribuir muito para que as coisas em nosso organismo se ajustem e funcionem bem, também nos faz tirar o foco dos problemas que estão nos agitando.

Praticar atividade física nos ajuda a lidar com este tipo de estado porque eleva a produção de serotonina, substância que aumenta a sensação de prazer. O exercício poderá funcionar muito na arte de nos fazer mudar o foco de nossas inquietações, mas é lógico que dependerá da disposição de quem o faz, pois tal pessoa precisará se dispor para verdadeiramente adentrar na dinâmica do exercício, desligando-se de outras preocupações.

Em seu exercício diário, você precisará se empenhar para verdadeiramente viver o exercício e se desligar do restante. Se possível, não leve o celular para a caminhada ou para a academia. E caso ele seja mesmo necessário em algo para auxiliar no próprio treino (através de um aplicativo, por exemplo), procure utilizá-lo no modo avião. Este momento de atividade precisa ser um espaço no qual você possa mudar o foco, vendo outras coisas e pessoas, gastando sua energia excedente, tendo um encontro com você mesmo(a) e deixando sua mente descansar.

O importante é se exercitar, ainda que você não disponha de todo o tempo e de todas as condições das quais gostaria. O simples fato de caminhar três vezes por semana (por pelo menos meia hora), por exemplo, já pode ajudar muito a lidar com a ansiedade. O momento da caminhada, além de ser um exercício para o corpo, também pode ser aproveitado para trabalhar a mente, sob a forma de uma meditação ativa. Com a mente livre das ordinárias ocupações, em uma caminhada, você pode melhor refletir sobre sua história, decerto até percebendo outras áreas de sua vida que precisam ser melhor conduzidas e trabalhadas, as quais talvez até estejam na raiz de sua ansiedade e inquietação atual.

Existem várias formas de mudar o foco: exercícios físicos, um bom livro, um passeio com os amigos, uma viagem, mudar o próprio cronograma diário, conhecer outras pessoas e, sobretudo, ajudar alguém.

Pode até parecer estranho, mas existe um profundo poder curativo na atitude de sair de si mesmo(a) – deixando a própria zona de conforto – para ajudar outras pessoas que estão precisando. Pode até soar diferente, mas quando você consegue se esquecer um pouco de você mesmo e de seus problemas para ouvir e ajudar alguém, algo de maravilhoso e terapêutico acontece em seu interior e em sua mente, e, na grande maioria das vezes, você consegue mudar o seu foco significativamente.

Ajudar os outros, com alegria e sinceridade, traz uma leveza ímpar ao nosso coração. Isso é verdadeiramente terapêutico, é um remédio muito eficaz que muito nos ajuda na tarefa de mudarmos o foco de nossas dificuldades, levando-nos a enxergar além daquilo que perturbou o nosso coração.

Em muitos casos, a ansiedade descompensada nos deixa um tanto "neuróticos" e nos faz hipervalorizar nossos problemas e circunstâncias difíceis. Quando conseguimos olhar para os outros e tirar o foco de nós mesmos, tornamo-nos capazes de encontrar um melhor equilíbrio interior, descobrindo recursos para não ceder diante da angústia e preocupação excessiva. Essa é uma boa prática que em muito poderá nos ajudar.

Inúmeras vezes também, para conseguirmos realmente mudar o foco do que está nos deixando desajustados, precisaremos ter a devida coragem de mudar concretamente nossas ocupações e nosso estilo de vida. *Em muitas circunstâncias, o que estará nos adoecendo será o trabalho que realizamos e, sobretudo, a forma como o realizamos. Talvez hoje seja necessário, diante de seu quadro de desgaste e ansiedade, você dar o concreto passo de sair de sua zona de conforto, tendo a coragem de até mudar de profissão (caso perceba que essa mudança se faz necessária).*

Sei que em alguns casos isso não será possível, todavia, sei também que em muitas circunstâncias o será, mas acabamos não tendo coragem de fazê-lo por comodismo ou até por apego. Há casos nos quais o indivíduo está literalmente se matando e perdendo a saúde em virtude da forma como tem vivido o seu trabalho, mas faz questão de prosseguir nesse estilo autodestrutivo de vida.

Muitas vezes precisaremos ter a humildade e a coragem para identificar o que está nos destruindo, realizando mudanças objetivas em nossa vida. *Em inúmeras circunstâncias, para viver melhor, precisaremos dar o passo de começar de novo e de maneira diferente, caso contrário, continuaremos ancorados em nossas ilusórias seguranças e naufragaremos com elas.*

Como acontece com as navegações em alto mar: não adianta persistir carregando muita carga e muito peso quando o navio está afundando. A alternativa é clara: ou o capitão lança a carga e os pesos no mar e trabalha para consertar os vazamentos do navio, ou, inevitavelmente, o navio e toda a tripulação irão afundar.

Talvez hoje a sua vida esteja como um navio quase afundando, pelo tanto de cargas, pesos e ocupações que você insiste em carregar. Talvez essa seja a hora de, para salvar o navio, que é a sua vida, você deixar alguns desses pesos, apegos e falsas seguranças no mar, para poder realmente poder cuidar do seu barco. Se você não se liberta das muitas cargas e dos excessos, o navio não poderá ser consertado nem reinventado (vindo a afundar), e não conseguirá avançar para novos mares.

Se você não liberta o navio de sua história de pesos e desgastes excessivos, poderá perder sua saúde e tudo o que conquistou até então. Por vezes, precisaremos ser radicais, mudando concretamente o rumo de nossa vida.

Você pode até estar pensando: "Mas eu preciso deste trabalho, eu preciso deste remuneração...". Eu compreendo você, mas o convido a avaliar a situação com muita honestidade e inteligência, percebendo o que realmente precisa ser mudado em sua história, pois de nada adiantará você continuar neste estilo de vida e depois perder sua saúde e sua vida. Aí você gastará tudo o que conquistou tentando recuperar o que perdeu, e talvez será tarde demais.

Se você realmente verificar que o seu trabalho está destruindo você, tenha a coragem de mudar o foco partindo para outra coisa. É claro, você não deve fazer isso de maneira impulsiva, repentina e irrefletida, mas, se hoje seu coração constatar que é mesmo preciso mudar, comece já a se preparar e se programar para essa futura migração, que com certeza acrescentará muito mais qualidade de vida a você e aos seus relacionamentos.

Não tenha medo de mudar quando necessário: estude antes a situação, busque se preparar para essa mudança e, sobretudo, confie em Deus. Ele o ama e não deixará faltar as realidades das quais você realmente necessita.

Não se permita estar apegado a falsas crenças e seguranças, talvez realizando um trabalho que está destruindo você e seus relacionamentos mais preciosos. Pode ser que seja realmente a hora de você dar um basta em tudo isso e recomeçar de forma nova. *Muitas vezes os recomeços reservam surpresas e benefícios muito especiais, fazendo com que descubramos uma força e um potencial nunca antes identificados dentro de nós.*

Mais uma vez afirmo: sei que existem casos nos quais não será mesmo possível acontecer essa mudança total de foco através de uma mudança radical de trabalho, contudo, quando isso não for mesmo possível, será preciso você lutar para transformar a maneira como você enfrenta este trabalho e nele realiza suas atividades.

Decerto você possa e deva delegar mais e centralizar menos. Porventura, seja a hora de começar a formar novas lideranças em sua área de atuação, aliviando o peso sobre você e garantindo a continuidade do que foi feito. Quem sabe seja a hora de você optar – quando isso for possível, é claro – por trabalhar por meio período por algum tempo, a fim de poder melhor cuidar de você e de sua família até as coisas ficarem mais calmas.

Independente de qual seja a forma, em muitas circunstâncias precisaremos mesmo dar o passo de mudar o foco em nossa vida, vivendo um novo tempo, para poder equilibrar melhor as coisas dentro de nós. *Muitas pessoas têm um profundo medo do novo, todavia, em inúmeros momentos de nossa história, será precisamente no novo que estarão as bênçãos e conquistas mais profundas que necessitamos vivenciar.* Não tenha receio do novo, tema apenas destruir a você mesmo, mantendo seu foco naquilo que hoje desconstrói sua alegria e confisca a sua esperança.

Decerto o jeito como você exerce seu papel no trabalho e em sua família precise ser realmente mudado por um tempo,

COMO CONTROLAR E VENCER A ANSIEDADE?

a fim de que você se preserve mais e possa cuidar melhor de sua mente e de seu coração. Talvez você esteja agindo em casa como alguém que sempre faz e resolve tudo, sem saber delegar ou chamar os outros membros da família às responsabilidades que lhes são próprias. Pode ser que você esteja agindo com seu marido ou esposa como se fosse a mãe ou pai dele(a), dando sempre tudo em suas mãos e não permitindo que ele(a) cresça e desenvolva a postura adulta que lhe cabe.

Talvez este seja o exato momento no qual você deve mudar o jeito como age e faz todas as coisas, mudando realmente sua maneira de ser e estar nas realidades, caso contrário, de nada adiantará lutar para combater os sintomas da ansiedade (talvez até com remédios ou outros tratamentos), se antes você não buscar transformar a causa profunda que tem lhe conduzido ao estresse e à agitação.

Em muitas circunstâncias, nossa vida precisará mesmo enfrentar alterações radicais, a fim de que possamos realmente mudar o nosso foco a partir da raiz das realidades que nos têm tornado ansiosos, para assim poder construir uma vida mais harmônica e integrada.

Por vezes, precisaremos também mudar a maneira como recebemos e processamos as informações, não nos deixando alarmar e inquietar com as más notícias e tragédias deste mundo. Infelizmente sempre aconteceram guerras e coisas ruins em nosso planeta, no entanto, nos séculos passados, não havia tanta mídia nem a internet, e por isso as pessoas não recebiam um turbilhão de más notícias a todo momento, como acontece em nossos dias.

Coisas difíceis e trágicas sempre existiram e sempre existirão, mas, talvez, seja a hora de modificar o foco de como lidamos com as tragédias e as más notícias de nosso tempo, a fim de que não vivamos constantemente inquietos e amedrontados. Quem sabe seja a hora de pararmos de ler tanto e assistir a tantos jornais que só noticiam desgraças e abrirmos os olhos para enxergar as coisas lindas que acontecem ao nosso redor todos os dias. *Para realmente mudar o foco, precisaremos desenvolver a arte de fugir dos motivos de inquietação – e não caminhar na direção deles –, a fim de blindarmos um pouco mais nossa mente e nossas emoções.*

Da mesma forma, quem sabe precisemos, neste tempo também, *mudar o foco na forma como nos autoavaliamos, diminuindo um pouco a autocobrança e o perfeccionismo, com o propósito de podermos acrescentar mais tranquilidade e bom humor a nós mesmos na hora de nos compreendermos em nosso processo de transformação. Talvez estejamos extremamente focados em uma perfeição sobre-humana que sequer temos reais condições de alcançar.* Decerto seja este o momento de desenvolver um foco mais modesto e misericordioso, para poder interpretar a si mesmo e também assimilar os demais.

Em algumas situações, do mesmo modo, necessitaremos mudar o foco da maneira como nos alimentamos, começando a comer melhor. Um tipo de alimentação muito errada pode contribuir diretamente para alterar nosso humor, tornando-nos presa fácil para a ansiedade.

É irônico pensar que o fast food pode causar ansiedade e, ainda mais estranho, saber que ele se associa à depressão, mas um estudo publicado no British Journal of Pharmacology constatou que "depois de 4 meses alimentando um grupo de ratos com uma dieta alta em gorduras (fast food etc.), em comparação com um segundo grupo, alimentado com uma dieta saudável e padrão, os primeiros mostraram maior alteração nos nervos, entrando em um estado de agitação e ansiedade. Posteriormente foi feita uma dieta padrão (com alimentos saudáveis) nos ratos que anteriormente consumiram o alto teor de gordura, e seus sintomas ansiosos e depressivos se foram"[15].

O tipo de alimentação que ingerimos pode interferir diretamente em nosso humor, por isso, para mudar o foco, muitas vezes será necessário reduzir os níveis de gordura (e os alimentos não nutritivos em geral), para construirmos uma dieta mais equilibrada e saudável. Se mudarmos a forma como nos alimentamos e combatermos a impulsividade que nos visita precisamente na hora de escolher o que comer, com certeza teremos resultados muito mais positivos na dinâmica de nosso humor, e o possível estado de nervosismo e ansiedade irá diminuir considerável e gradativamente.

Tudo em nossa vida está interligado, portanto, para controlar e vencer os desequilíbrios da ansiedade, precisaremos combater os desajustes presentes em todas as áreas de nosso ser: desde nossa alimentação, rotina, na forma como realizamos nossas atribuições, até a maneira como encaramos e vivemos nossa espiritualidade, tudo isso precisará ser melhor conduzido e equilibrado, a fim de que sejamos capazes de superar os desajustes da ansiedade, alcançando uma vida mais exitosa e harmônica em todos os sentidos.

Outra realidade essencial para que vivamos um novo foco na maneira como lidamos com a ansiedade é, como já ressaltei

---

[15] Pesquisa presente em: https://melhorcomsaude.com.br/5-coisas-surpreendentes-geram-ansiedade/. Acesso em: 29.05.2018.

anteriormente, aprender a respirar bem, desenvolvendo até algumas simples técnicas de respiração. Em outras palavras, se você for capaz de assertivamente controlar sua respiração, poderá, da mesma forma, melhor administrar os sintomas da ansiedade, tendo mais recursos e serenidade para enfrentar a agitação.

Mas, como conseguir controlar a respiração quando nosso coração dispara e altos picos de ansiedade nos atingem? Na verdade, é mais simples do que parece. Uma sugestão que apresento como uma forma eficaz de controlar a respiração é a conhecida regra 7/11. Ela é fácil e funcional e tem produzido resultados surpreendentes quando se trata de nos devolver a calma e o equilíbrio diante dos picos de ansiedade. Sua dinâmica consiste na seguinte realidade:

– Procure relaxar e se concentrar na sua respiração, sem pensar em mais nada. Inspire o mais profundo que puder, enquanto conta mentalmente até 7. Depois expire lentamente, enquanto conta mentalmente até 11. Vá repetindo essa dinâmica e se concentre nisso. Faça isso durante alguns minutos. O segredo está em fazer com que a expiração seja maior que a inspiração[16].

Pode até parecer clichê, mas aprender a respirar melhor – sobretudo diante da agitação e ansiedade – oxigena melhor o cérebro e nos possibilita objetivamente retomar o controle de nossas emoções e pensamentos. Essa é uma estratégia muito eficaz para nos fazer mudar o foco da agitação que deseja nos dominar.

Não despreze nem menospreze este tipo de instrumental, pois ele é cientificamente comprovado em seus resultados no

---

[16] Pesquisa presente em: https://pt.aleteia.org/2016/07/27/4-metodos-infaliveis-para-superar-a-ansiedade-imediatamente/. Acesso em: 29.05.2018.

intuito de nos ajudar a recobrar o equilíbrio diante dos assaltos da ansiedade.

Espero que as reflexões apresentadas o(a) iluminem no propósito de fazê-lo(a) perceber em quais áreas de sua vida as realidades precisam ser melhor conduzidas e onde o foco do que você é e faz precisa ser necessariamente mudado. Não tenha medo de refletir e de se autoquestionar, compreenda quais são as raízes geradoras de inquietação em sua história que hoje precisam ser sabiamente modificadas e melhor administradas.

Olhe hoje para sua trajetória com honestidade e perceba quais são as reais causas que podem estar levando você à inquietude e à aflição. Peça agora a Deus que lhe dê sabedoria e o(a) faça compreender em quais realidades você hoje precisa realmente de um tempo novo, talvez até fazendo as mesmas coisas, mas de maneira nova e mais sensata, em ordem a cuidar melhor de você e a preservar a saúde de sua mente e emoções.

Pare, respire, reflita e reze... Peça sinceramente a ajuda de Deus e permita que Ele, através de Seu Espírito Santo, revele concretamente ao seu coração quais são os focos que precisam ser modificados em sua história, a fim de que você não desperdice seus recursos e energias em vão. *Mude o seu foco de atenção! Os sintomas, sentimentos, medos e problemas não são o protagonista de sua vida, o protagonista é você.*

A vida é muito curta e intensa para ser desaproveitada. Sua existência é única e precisa ser bem curtida e cuidada: por isso não tenha medo de assumir as rédeas de sua história e realizar as mudanças – internas e externas – que precisam realmente ser empreendidas. Tenha a certeza de que você se surpreenderá com as vitórias e os frutos que alcançarão você ao longo deste percurso.

Concluo este quarto segredo apresentando-lhe mais uma vez essa sincera indagação: Em que você precisa hoje realmente mudar o foco? E como essa mudança pode e deve acontecer? Torço e rezo para que você conclua este capítulo dando já os passos necessários para essas mudanças serem implementadas; e que elas não permaneçam apenas em sua mente, mas que se tornem concretas atitudes a partir deste momento.

Possuir-se

Hoje decidi me ter novamente.
Sendo quem sou e estando onde realmente devo estar.
Por vezes me atraso e
perco o compasso a ser comunicado com o arado da memória.
E assim sinto o opaco da beleza, avesso do sonho,
aterrissando em minhas pálpebras tão ausentes de sol.
Marcas e cicatrizes contam histórias.
Nelas me perco e me encontro,
lembrando de esquecer o que um dia me feriu:
compreendendo o mal que um dia eu escolhi fazer.
E este dissabor foi causado a mim mesmo,
em vezes nas quais não pude me encontrar,
e assim sabotei o universo de essência e leveza que aguardava por mim.
Não quero mais ferir-me...
Desejo ser amigo de minha alma e reencontrar,
ainda que com sincero desajeito,
o caminho de regresso e felicidade
que meus olhos de menino decidiram buscar.

COMO CONTROLAR E VENCER A ANSIEDADE?

Quero possuir-me e cuidar-me...
para ser capaz de revelar a outros olhares,
que precisam tanto do alento da Verdade que se desvela nesta luz.
Decido também ser luz:
alterando a rota do que me desajeita,
e construindo o caminho da superação e do aconchego.
Ali a tarde me visita, na beira do lago dos sentidos,
onde o cisne ainda nada, dizendo-me que o protagonista será
sempre eu.
Nesta dança decidi receber-me de volta, comunicando o incomunicável: mistura de avesso e exatidão que me faz assumir meu real.
Assim prossigo com a rédea na mão,
para desvelar a outros corações a beleza presente no verso.
Verso que ensina à alma o regresso,
sem reminicências ou medos,
o verdadeiro regresso do possuir-se.

Pe. Adriano Zandoná

QUINTO SEGREDO: ESTIMULE A CONFIANÇA E A FÉ

Por isso vos digo: Não vivais preocupados com o que comer ou beber, quanto à vossa vida; nem com o que vestir, quanto ao vosso corpo. Afinal, a vida não é mais do que o mantimento, e o corpo, mais do que a roupa? Olhai para as aves do céu, que nem semeiam, nem colhem, nem ajuntam em celeiros; e vosso Pai celestial as alimenta. Não tendes vós muito mais valor do que elas? E quem de vós poderá, com sua preocupação, acrescentar um só dia à duração de sua vida? E por que ficar tão preocupados com a roupa? Olhai como crescem os lírios do campo; não trabalham nem fiam. E eu vos digo que nem mesmo Salomão, em toda a sua glória, se vestiu como qualquer um deles. Pois, se Deus assim veste a erva do campo, que hoje existe, e amanhã é lançada no forno, não vos vestirá muito mais a vós, homens de pouca fé? Portanto, não fiqueis inquietos, dizendo: Que comeremos, ou que beberemos, ou com que nos vestiremos? (...) Vosso Pai que está nos céus sabe que precisais de tudo isso. Buscai primeiro o reino de Deus, e a sua justiça, e todas estas coisas vos serão dadas por acréscimo. Portanto, não vos inquieteis com o dia de amanhã, porque o dia de amanhã terá sua própria preocupação. A cada dia basta o seu mal (Mt 6,25-34).

Neste último capítulo chegamos a um ponto fundamental em nossa reflexão, no qual discorreremos sobre o quinto segredo para vencer a ansiedade que, como o título do capítulo prenunciou, consiste em viver uma fé e uma confiança abandonadas em Deus. Este é um ingrediente essencial que, em meu ponto de vista, precisa constar na estratégia de quem deseja realmente equilibrar-se diante do desajuste da ansiedade, encontrando uma maneira mais harmônica e ordeira de viver.

A citação bíblica que inaugura este capítulo é fantástica e muito direta, e sobre seu enredo refletiremos bastante aqui. Contudo, antes disso, eu gostaria de dividir com você uma impressão pessoal que me acometeu a partir de uma história real que pude acompanhar.

Acredito que todo o instrumental da ciência, da medicina e da psiquiatria é fantástico e necessário para combatermos a ansiedade e seus excessos, eu mesmo o tenho indicado a muitos(as) que pedem minha ajuda ao enfrentar este tipo de problema. Sobretudo, quando a ansiedade já se tornou um específico transtorno ou doença, uma intervenção com remédios e o acompanhamento com um profissionalse tornarão muito necessários.

Respeito muito a ciência e tenho, porventura, muitos amigos médicos aos quais recorro quando tenho dúvidas para direcionar àqueles(as) que me solicitam, todavia, tenho percebido que existem situações nas quais a medicina se mostra insuficiente para ajudar algumas pessoas e, mesmo com toda a sua importância, em alguns casos apenas a técnica por ela proposta se mostra limitada para ajudar o coração em questão. Estou acompanhando um caso assim.

Um jovem rapaz, que quando conheci tinha 21 anos. Filho único, que foi profundamente planejado e desejado por seus pais, que estudou em ótimas escolas e sempre teve os brinquedos, as viagens e os presentes que desejou, que nunca sofreu qualquer espécie de abuso e que não possuía nenhuma aparente causa que poderia ser geradora de uma patologia ou um transtorno ansioso, mas que, a partir dos seus 16 anos, desenvolveu um terrível transtorno de ansiedade que desembocou em um complexo transtorno alimentar.

A ansiedade geralmente precede os transtornos alimentares. Quando as pessoas começam a se preocupar demais, é comum essa preocupação ser descontada na comida. Em muitos casos, ela também precede a depressão, levando o coração em questão a agudos estados de tristeza e prostração.

Desde então, este rapaz começou a ser acompanhado por ótimos profissionais (psicólogos, neurologista, nutricionista), e tudo isso o ajudou muito, porém, não foi o suficiente para fazê-lo superar essa dificuldade nem para encontrar a raiz de sua patologia.

Este jovem sofreu muito. No início ele teve algumas crises de ansiedade aguda, e, alguns meses após este primeiro episódio, passou a desenvolver o transtorno de anorexia. Ele ficou obcecado com relação à sua aparência e passou a se exercitar demais.

Nosso jovem chegava a fazer mais de 1000 abdominais por dia e estava sempre querendo se exercitar, às vezes por horas seguidas. Mesmo com este ritmo intenso de exercícios, nosso protagonista passou a não mais querer comer, pois sempre se

COMO CONTROLAR E VENCER A ANSIEDADE?

achava gordo e inadequado. Ele começou a emagrecer muito e todos ao seu redor começaram a ficar profundamente preocupados.

Após algum tempo de muita luta e insistência de sua família e do auxílio de profissionais, ele começou a dar sinais de que iria superar a anorexia, mas, simultaneamente, começou a desenvolver o transtorno de bulimia.

Ele começou até a comer, mas, assim que o fazia, ele sentia um impulso mais forte que sua vontade (naquela circunstância) que o levava a provocar o próprio vômito.

Ele comia e vomitava, comia e vomitava. Isso quando não tomava laxante escondido de seus pais, para provocar a diarreia e então emagrecer. Seu quadro foi se complicando e, constantemente, progredia e regredia, o que causava muito sofrimento para ele e para toda a sua família.

Quando chegou aos 21 anos, este jovem chegou ao auge de uma crise e tentou o suicídio, quase conseguindo êxito em encerrar a própria vida. Foi aí que seus pais decidiram buscar ajuda na Igreja, e após alguns meses eles me procuraram.

Quando vi o jovem pela primeira vez, percebi que ele trazia marcas profundas daquele sofrimento, que o acompanhava já há alguns anos, que estava muito desagastado, mas que trazia uma sincera vontade de encontrar um caminho de superação daquela terrível realidade. Ele estava realmente muito cansado e precisava verdadeiramente do auxílio de alguém que pudesse compreendê-lo e motivá-lo, encorajando-o a não desistir da própria vida.

Após alguns meses de conversas com este jovem, propus que ele fizesse um retiro espiritual muito profundo que foi preparado pelos jovens de um grupo da Igreja em sua cidade. Ele pediu um tempo para pensar, visto que para ele era difícil estar em ambientes diferentes e com pessoas desconhecidas (isso o agitava muito), mas, após alguns dias, ele me respondeu dizendo que gostaria de participar.

Nosso protagonista foi para este evento. Ele enfrentou muita dificuldade nas primeiras horas do retiro, mas, após algum tempo, conseguiu – com a ajuda de outros jovens – adentrar na dinâmica ali proposta, iniciando uma bela experiência. Enfim, ele participou de todo o evento – o qual foi muito profundo e feliz – com tudo o que ele propôs, e tudo aquilo mexeu muito com ele. Ali ele fez uma profundíssima experiência pessoal com Deus e se sentiu muitíssimo acolhido e amado por Ele.

Isso o ajudou muito. Ali nosso protagonista sentiu que Deus não o condenava por seus erros e que Ele não era indiferente à sua situação, mas que o acolhia como ali ele estava. E, a partir deste encontro, nasceu em seu coração o belíssimo dom da fé e da confiança, o qual o ajudaria muitíssimo em seu trajeto de cura e superação.

Somente Deus pôde tocar e acessar algumas áreas escuras no interior deste jovem, transformando suas emoções e curando-o profundamente. Ninguém antes tinha conseguido acessar sua alma de maneira tão profunda, e somente Deus pôde adentrar nas realidades mais íntimas e desajustadas presentes em seu interior. A partir daquela experiência, ele compreendeu que não estava sozinho e que, com o auxílio Divino, poderia superar suas dificuldades e reconstruir sua história, libertando-se de suas tristezas e seus medos.

Seu coração encontrou novos recursos para se compreender verdadeiramente, e, da mesma forma, ele conseguiu encontrar

COMO CONTROLAR E VENCER A ANSIEDADE?

um caminho interior para melhor se entender e respeitar, superando suas inconsistências através da fé e da confiança em Deus.

Todo o seu caminho foi extremamente valioso: os médicos, a terapeuta, a nutricionista, a família, todos o ajudaram muito. Mas existiam coisas dentro dele que ninguém havia sido capaz de acessar, nem ele mesmo, as quais somente Deus foi capaz de tocar e curar.

Nosso jovem rapaz ainda continua com sua terapia e com o auxílio de seu psiquiatra, mas afirmo – como seu próprio médico já o fez – que ele já está 95% curado e que essa melhora só aconteceu após sua experiência pessoal com Deus. Nosso protagonista já consegue se alimentar regularmente e não tem mais crises agudas de ansiedade.

Ele atualmente participa de um grupo de jovens em sua cidade e ali começou a construir lindas amizades e interações, o que antes lhe era impossível. Ele hoje faz um belíssimo trabalho na Igreja de sua cidade – junto com outros jovens –, ajudando inúmeros outros jovens que estão enfrentando os vícios e alguns dos problemas que ele mesmo enfrentou anteriormente.

Nosso protagonista superou os grandes descompassos que havia dentro dele e encontrou forças para reconstruir sua história a partir do cultivo de uma fé intensa e confiante.

Ele percebeu que em seu coração anteriormente existia um excesso extremo de autocobrança e perfeccionismo, que fazia com que ele exigisse de si uma perfeição total em tudo o que ele era e fazia, e tudo isso havia contribuído muito para a construção de seu quadro ansioso. A partir do momento no qual ele pode sentir o amor divino (veja bem, ele sentiu e fez uma experiência, e não apenas ouviu falar...), descobrindo que Deus o amava como ele era, com suas imperfeições e limites, nosso jovem encontrou forças para desarticular emocionalmente um dos principais caminhos através dos quais a ansiedade o havia aprisionado: o perfeccionismo e a ausência de compaixão para consigo.

A ansiedade descontrolada havia roubado muitas coisas de sua vida, levando-o até a acreditar que a morte seria a única solução. Sua ansiedade havia sido severa, mas ele conseguiu superá-la buscando ajuda e vivendo uma intensa experiência de fé e confiança em Deus, fé esta que nasceu a partir da experiência com o amor e cuidado Divinos.

Por isso afirmo a você, querido amigo(a), que independente de qual seja a realidade à qual a ansiedade tenha o levado, afirmo que ela poderá – e deverá – ser combatida pela força da fé, e que *aquilo que é grande demais para você – talvez até impossível – Deus pode realizar, ajudando-o a superar suas maiores angústias e dificuldades. Ele tem sempre algo a fazer por você e a falar ao seu coração, impulsionando sua alma na tarefa de superar suas inquietações e as causas – talvez ainda ocultas – que o(a) levaram a elas.*

A fé, a meditação, a oração e a missa são instrumentos muito preciosos para nos ajudar a enfrentar e a vencer a ansiedade e suas muitas consequências.

Segundo uma pesquisa divulgada pelo Professor de Epidemiologia da Universidade de Harvard (uma das melhores universidades do mundo) Tyler J. VanderWeele, que foi publicada no jornal USA Today e no JAMA Psychiatry (da Associação Americana de Medicina), ir à missa é um verdadeiro remédio para a nossa saúde física e mental.

COMO CONTROLAR E VENCER A ANSIEDADE?

Eis alguns dos benefícios relevantes demonstrados nesta pesquisa que foram atestados na vida de quem frequenta a missa periodicamente:

1- Um menor índice de suicídios;
2- Uma maior expectativa de vida;
3- Uma menor propensão ao fumo e vícios;
4- Um maior propósito na vida;
5- Um menor índice de depressão;
6- Matrimônios mais estáveis;
7- Maiores doações caritativas, voluntariado e compromisso cívico;
8- Uma maior rede de relacionamento social;
9- Ir à Missa ou participar de culto em comunidade traz mais benefícios que espiritualidade privada ou prática solitária[17].

Retomemos nossa reflexão acerca da linda citação bíblica que lemos no início deste capítulo. Nela encontramos um concreto manual para desenvolvermos uma fé ativa e confiante no amor e cuidado de Deus. Através de suas sentenças, podemos atingir – para posteriormente superar – algumas das principais causas da ansiedade em nós, precisamente em um tempo tão exigente como este. A referida passagem nos revela um específico itinerário de combate à aflição ansiosa, levando-nos a desconstruir algumas das raízes que nos levam à agitação.

A citação começa com a seguinte sentença:

---

[17] Dados presentes em: https://www.acidigital.com/noticias/ir-a-missa-e--remedio-para-melhorar-a-saude-fisica-e-mental-assegura-cientista-de-harvard-49829. Acesso 21.08.2018.)

"Não vivais preocupados com o que comer ou beber, quanto à vossa vida; nem com o que vestir, quanto ao vosso corpo. Afinal, a vida não é mais do que o mantimento, e o corpo, mais do que a roupa?"

(Mt 6,25)

A inquietação com o que é apresentado neste ensinamento está, muitas vezes, na raiz das inúmeras preocupações e angústias que visitam cada um de nós atualmente, ou seja, o nosso próprio sustento e o de nossa família. É claro que as situações aqui acentuadas são mesmo objetivas e atingem a todos, todavia, o texto nos conduz a enfrentarmos essas desafiantes circunstâncias de maneira diferente, amparados por uma confiança concreta em Deus.

"E porque ficar tão preocupados com a roupa? Olhai como crescem os lírios do campo; não trabalham nem fiam. E eu vos digo que nem mesmo Salomão, em toda a sua glória, se vestiu como qualquer um deles. Pois, se Deus assim veste a erva do campo, que hoje existe, e amanhã é lançada no forno, não vos vestirá muito mais a vós, homens de pouca fé? Portanto, não fiqueis inquietos, dizendo: Que comeremos, ou que beberemos, ou com que nos vestiremos?"

(Mt 6,28-31)

Aqui Jesus atinge uma das principais fontes de ansiedade e desassossego para o coração humano, a qual tem lançado inúmeras pessoas em quadros agudos de agitação e ansiedade. É claro que em um contexto tão complexo e exigente como o que vivemos,

COMO CONTROLAR E VENCER A ANSIEDADE?

seria – no mínimo – estranho se tais realidades não nos causassem nenhuma preocupação, visto que elas não são secundárias e devem mesmo ocupar nossa atenção. Mas percebemos que o Nazareno aqui está chamando nossa atenção para que desenvolvamos uma forma diferente de compreender e abordar tais necessidades.

Sabemos que é extremamente compreensível que essas realidades causem alguma inquietação: para um pai (ou mãe) com filhos pequenos para alimentar, com escola para pagar (com os gastos altíssimos requeridos à educação no Brasil), com a necessidade de comprar remédios etc, é óbvio que tais realidades ocasionarão alguma agitação e preocupação. Não somos cegos ou alienados, nem devemos ser. Os desafios são reais e estão aí, e temos que enfrentá-los todos os dias.

No Brasil, por exemplo, enfrentamos altos níveis de corrupção, a centralização dos recursos nas mãos de uma minoria privilegiada, impostos altíssimos e muitos outros abusos e imperativos. E Jesus não está pedindo para que deixemos de trabalhar, estudar ou nos esforçar para conquistar uma condição melhor de vida para nós e nossa família; todo este esforço e esta luta são extremamente necessários e precisamos mesmo lutar por isso. No entanto, o que aqui nos é pedido é para que trabalhemos duro e façamos sim bem a nossa parte, mas sem deixar que a preocupação decorrente dessas realidades subjugue nosso coração.

Como a própria citação diz, Deus sabe que precisamos comer, vestir, morar etc: "Vosso Pai que está nos céus sabe que precisais de tudo isso…" (Mt 6,32b). Mas a mesma citação apresenta o imperativo: "Não vos preocupeis", que pode também ser traduzido como: "Não vos inquieteis e confiai no cuidado amoroso do Pai".

Mesmo diante de todos os motivos para uma autêntica preocupação que emergem desta circunstância, o ensinamento de Jesus aqui está nos revelando uma fantástica *lei da confiança* que deve perpassar nossa experiência pessoal. Aqui nos é apresentada uma lei – uma atitude a ser cultiva na vida – que é a base daquilo que chamamos de Divina Providência: "Buscai primeiro o reino de Deus, e a sua justiça, e todas estas coisas vos serão dadas por acréscimo" (Mt 6,33). Essa lei nos revela que, se confiamos, fazemos nossa parte e obedecemos a Deus, nada (nada quer dizer nada!) irá nos faltar...

Isso significa que, *quando desenvolvemos um concreto relacionamento com Deus e vivemos a vida da forma como Ele nos pede, Seu cuidado e Sua providência nos sustentarão em todas essas legítimas necessidades, não permitindo que nada nos falte. Essa é uma lei espiritual imutável: se você busca em primeiro lugar a Deus e vive da forma como Ele lhe pede, nada irá faltar a você, e Sua providência irá confiar-lhe tudo o que você precisa para viver, e viver bem.*

Essa é uma verdadeira promessa da parte de Deus, e a partir disso a questão toda gravita em torno de uma realidade: ou confiamos ou não, ou cremos nesta promessa Divina e não vivemos inquietos(as) com todas essas necessidades, ou nos tornamos constantemente habitados pela inquietude decorrente desse tipo de cuidado humano.

Como já afirmei, será mesmo necessário nos desacomodarmos e fazermos bem a nossa parte: trabalharmos, fazermos cursos e lutarmos para progredir financeira e profissionalmente, mas nossa confiança precisa estar em Deus e na Sua providência, porque, se confiamos apenas em nossas capacidades e aptidões, correremos o risco de nos frustrarmos, não alcançando êxito nas coisas que realizamos e enfrentamos. Existirão coisas que não poderemos prever ou controlar, mas, quando confiamos em Deus e nos deixamos governar pela lei de Sua providência, nada poderá nos destruir ou desestruturar totalmente.

Se vivemos do jeito Dele, Sua providência irá nos sustentar em tudo, cuidando de nós e de nossa família. É uma questão de acreditar ou não. Ou nosso coração se dispõe à confiança neste Deus amoroso que deseja cuidar de nós, ou escolheremos viver confiando apenas em nós mesmos e em nossos esforços humanos, sentindo sempre o peso da incerteza em relação ao futuro e às necessidades que teremos.

Essa confiança responsável em Deus, que luta, trabalha, batalha, faz a própria parte etc, mas que Lhe obedece e confia plenamente em Sua ação, será essencial para que estejamos blindados diante das inúmeras causas de inquietação e ansiedade que nos visitam todos os dias. Se desenvolvermos essa fé simples e abandonada, com um verdadeiro "coração de criança" (cf. Mc 10,15), teremos muito mais tranquilidade e equilíbrio para enfrentar as batalhas de cada dia, força esta nascida da certeza de que temos um Deus providente que cuida de nós e dos nossos e que está sempre trabalhando para que amadureçamos e nos tornemos mais felizes em tudo o que somos e realizamos.

Mas, é claro: para que façamos uma experiência concreta com a Sua providência, é preciso que vivamos uma verdadeira obediência a Ele e à Sua palavra, pois obediência gera providência, e a desobediência, por sua vez, gerará inquietação e ansiedade, retirando-nos dos trilhos da bênção e do cuidado Divinos sobre nós.

Faço-lhe hoje este desafio: independente do que você hoje esteja enfrentando e do quanto lhe custe obedecer, dê passos concretos de obediência a Deus e à Sua palavra, esforçando-se para realmente viver isso, e tenha a certeza de que a providência e o cuidado Dele irão alcançá-lo(a) e surpreendê-lo(a) ao longo de seu caminho de uma maneira fantástica, dando-lhe muito mais do que aquilo que você podia pedir ou pensar. *Como afirmou a própria Bíblia, o que Deus preparou para aqueles que O amam e, portanto, Lhe obedecem, são "coisas que os olhos não viram, os ouvidos não ouviram e coração algum jamais imaginou" (1Cor 2,9), ou seja, coisas maravilhosas e especiais que você jamais ousou pedir ou pensar.*

Essa é uma questão simples e sem complicações intelectuais: é apenas uma questão de acreditar e obedecer com um coração simples e descomplicado, para colher frutos maravilhosos do cuidado e da providência de Deus em sua história. Mais uma vez quero desafiar você: dê hoje o passo de consertar em sua vida o que precisa realmente ser mudado e consertado, e faça o que for preciso para obedecer a Deus e para viver do jeito Dele. Por mais que isso lhe custe muito. Nada poderá se comparar àquilo que Deus já está preparando para você e com o que Ele fará em sua vida ao longo deste percurso de confiança e obediência filial.

Obedeça a Ele hoje e abandone aquilo que não corresponde aos sonhos amorosos Dele para sua vida. Ainda que você não enxergue nada adiante, tenha a certeza de que Ele irá agir de maneira muito profunda e maravilhosa, independentemente de seus problemas e das suas ansiedades atuais.

Deus é um pai amoroso e, independente de quais sejam hoje seus problemas e inquietações, Ele quer assumi-lo(a) – com tudo aquilo que você é e está vivendo – e transformar sua história. Ele pode libertá-lo(a), inaugurando um tempo novo em sua vida. Dê este passo de confiar e abandone agora – sem inventar desculpas ou culpados – tudo aquilo que o(a) afasta de Seu plano de felicidade para você.

Não tenha receio de mudar o que realmente precisa ser mudado para obedecer a Deus: essa confiança gerará frutos fantásticos de transformação e felicidade em sua história. Levante-se de toda e qualquer prostração e faça hoje por você aquilo que apenas você pode fazer.

Seja você pai, mãe, filho(a), médico(a), juiz(a), professor(a), aluno(a), pedreiro(a), dona de casa, motorista(a), padre, consagrado(a), jovem, ancião ou adolescente, não tenha medo de mudar seu estilo de vida e obedecer a Deus. Se você fizer isso com intensidade e verdade, Ele irá fazê-lo feliz como você nunca imaginou poder realmente ser!

Se você se deixar guiar por Ele em tudo, Sua divina providência irá reger sua vida e nada irá lhe faltar, ao contrário, o bem e a ale-

COMO CONTROLAR E VENCER A ANSIEDADE?

gria irão transbordar em você, e seu coração encontrará forças para vencer a ansiedade e todo e qualquer transtorno dela decorrente.

É óbvio que uma vida de obediência a Deus também comportará desafios e dificuldades: toda e qualquer existência humana é perpassada por isso. Mas, se você realmente confia Nele e se rende, em sua alma nascerão uma força e uma paz tão intensas que farão com que as tempestades da vida não o(a) destruam ou prostrem definitivamente pelo chão. Essa força e quietude serão para você um escudo para ajudá-lo(a) no enfrentamento de suas dificuldades, levando-o(a) ao êxito diante das situações desafiantes que a vida insiste em apresentar.

Temos apenas uma opção diante de nós: ou cremos, ou não; ou confiamos, ou não. Se você, de fato, "busca em primeiro lugar o reino de Deus e Sua vontade", tudo mais – até mesmo o que você ainda não pediu – "lhe será dado em acréscimo". Eu tenho vivido isso há anos e posso testemunhar que esta é uma profunda verdade e tem valido muitíssimo "a pena" lutar para confiar e obedecer a Deus em tudo. Tenha a coragem você também de viver a aventura de confiar, e tenha a certeza de que consequências maravilhosas virão!

A obediência sempre gerará a providência de Deus, e obedecer-Lhe em tudo – vivendo um dia de cada vez – será uma atitude muitíssimo inteligente que nos blindará e nos levará a vitórias maravilhosas e consistentes.

Será preciso se dispor a obedecer a Deus, trabalhando concretamente para avançar nisso. Contudo, será da mesma forma necessário cultivar a sensatez de saber viver o presente, sendo inteiro(a) em cada coisa, permitindo, assim, que as realidades aconteçam em seu ritmo e em sua dinâmica naturais.

O viver a lógica do "a cada dia basta o seu cuidado/mal" (Mt 6,34,b) será essencial para que não nos permitamos escravizar pela ansiedade. Essa atitude, quando ancorada em uma confiança abandonada em Deus, será fonte concreta de paz e serenidade para o nosso coração.

Quando vivemos assim, estamos conscientemente trabalhando para "convencer" nossa mente e nossas emoções de que não precisamos resolver todos os problemas de uma só vez, mas que podemos e devemos enfrentar um desafio e circunstância por vez, fazendo sempre o nosso melhor e descansando em Deus, ou seja: lutando para fazer nossa parte no dia que se chama hoje e, consequentemente, confiando e descansando no Pai, que sempre faz a Sua parte e que em tudo cuida de nós!

Cultive as realidades propostas por este último segredo, as quais são um verdadeiro escudo para controlar e vencer a ansiedade, superando este ardiloso problema intitulado como "o mal do século". Tenha a certeza de que cada um desses segredos revela um caminho eficaz e objetivo para o enfrentamento da ansiedade, e que segui-los – sem deixar o tratamento e o acompanhamento médico e terapêutico, é claro – poderá ajudá-lo(a) muitíssimo nesta tarefa de se transformar e curar, combatendo a inquietação excessiva e as enfermidades dela decorrentes.

Encerro este capítulo – e este livro – deixando a você dois presentes: uma profunda oração de confiança e entrega a Deus e um poema que compus recordando-me das belas experiências que vivi com meu pai, um simples caminhoneiro que me ensinou muito sobre o que significa confiar em Deus, permitindo que Ele nos dirija em todas as coisas. Espero que ambos ajudem o seu coração nesta tarefa de compreender e enfrentar o que lhe causa dor e a superar o que hoje preocupa sua alma.

Agradeço-lhe por ter percorrido comigo este caminho e me comprometo a rezar por você e pelas lutas que hoje percorrem sua alma e seu coração. Siga adiante e prossiga confiando e acreditando que você foi feito(a) com um belíssimo propósito, e que realizar--se, tornando-se um(a) vencedor(a) – em todos os sentidos –, é a

COMO CONTROLAR E VENCER A ANSIEDADE?

concretização deste propósito maravilhoso que existe sobre você! Você foi criado para dar certo: caminhe com coragem, esperança e fé, hoje e sempre!

Oração

Senhor, hoje quero dar o passo de confiar inteiramente em Ti e em Tua providência, e peço que o Senhor me ajude a Te obedecer em tudo. Peço que o Senhor retire de minha vida tudo o que se opõe à Tua vontade, e que me liberte de todos os pecados e ilusões que me escravizaram, acorrentando-me à mentira.

Aumenta em mim a fé, que é dom de Teu coração. Sei que se eu confiar em Ti, buscando em primeiro lugar o Teu reino, receberei em tudo o Teu cuidado, protegendo-me e guardando-me em todas as áreas de minha vida.

Entrego-Te toda a minha vida e minha família, Senhor; entrego-Te tudo o que me inquieta e causa ansiedade, e dou hoje o passo de confiar em Ti de todo o meu coração. Sei que o Senhor conhece meus medos e minhas reais necessidades, e que sempre me amparará com Tua infinita bondade e amor.

Ajuda-me a enfrentar minhas lutas de cada dia e a fazer minha parte para em tudo crescer e progredir. Liberta-me de todo o comodismo e preguiça, Senhor. Que eu não fique arranjando desculpas e culpados para não fazer o que só eu devo e preciso fazer.

Ensina-me a Te ouvir e a buscar em primeiro lugar o Teu querer. Liberta-me de toda ansiedade excessiva e cura-me nas causas profundas daquilo que me inquietou e agitou. Ajuda-me a não me perder em meio ao estresse e às angústias de cada dia; que meu coração esteja sempre centrado em Ti e em Tua palavra.

Agradeço-Te porque o Senhor cuida de mim sempre,

e em Teu amor e cuidado eu poderei sempre confiar e descansar.
Obrigado, meu Pai!
Amém.

Aprendi com meu pai

*Em um tempo não distante,
onde verdades e sonhos cavalgavam, respeitosos,
a orgulharem-se de suas realizações,
pude perceber-me e entender que eu deveria mesmo estar ali.
Com meus gostos, desgostos, anseios e fábulas, decidi prosseguir,
conquistando a maturidade que dá voz ao menino,
honesto e feliz,
que dentro de mim persiste em brincar.
Dividindo contigo meus dias naquele caminhão azul,
pude compreender que havia também Outro pai,
no qual meus sentidos podiam confiar.
Uma poeira encobriu aquela tarde...
Na simplicidade do menino aprendendo a dirigir,
pude ler em teus olhos um Olhar que marcou minha alma,
presença infinita na qual escolho permanecer.
Quando medos e vozes me confiscam a quietude,
retorno à calma do teu rosto a me guiar, com a boleia da vida,
para a integridade em que outrora escolhi descansar.
No inverno de minhas emoções, recordo-me das noites que permanecemos lá...
Tão cheios de nobreza e pintando, com o pincel da simplicidade,
enredos tão cheios de maio e de pôr do sol.
Nas estradas cheias de poeira, amizade, sensações,*

COMO CONTROLAR E VENCER A ANSIEDADE?

dormindo na pequena cabine que abrigava nossos sonhos,
cantávamos o canto da alma que dilatou minha fé.
Ali alcancei, com a lança do desejo,
uma fé de garoto aprendendo a voar...
O tempo passou, pai.
Sei que você também vai passar,
mas teu sorriso e tua palavra continuam para sempre, ascendendo-me por dentro,
revelando-me um Pai no qual posso sempre acreditar.
Contigo aprendi a serenizar meus sentidos,
crendo e deixando o ciclo da vida se completar.
A ti minha hoje homenagem... Meu amigo e herói!
A cabine do teu caminhão foi pequena para caber nossos sonhos e conter nossa fé.
Hoje seguimos nossos propósitos,
retirando o chapéu diante do Mistério
e confiando no Pai que um dia prometeu nos embalar,
silenciando nossas pressas e preenchendo nossa alma com ternura e sereno.
Persisto assim, existindo e seguindo os passos da fé simples que contigo aprendi a viver.
Obrigado por aquilo que seus lábios nunca pronunciaram,
mas sua alma ousou sempre me ensinar!

Pe. Adriano Zandoná